Le parfum des dieux

*Barbara Cartland est une romancière anglaise
dont la réputation n'est plus à faire.*

*Ses romans variés et passionnants mêlent
avec bonheur aventures et amour.*

*Vous retrouverez tous les titres
disponibles dans le catalogue que
vous remettra gratuitement votre libraire.*

Barbara Cartland

Le parfum des dieux

traduit de l'anglais
par Marina DICK

Éditions J'ai lu

NOTE DE L'AUTEUR

C'est au cours d'un séjour en Égypte en 1928 que j'eus le privilège de visiter le tombeau de Toutankhamon qui avait été découvert récemment et dont on disait qu'il contenait de nombreuses boules d'encens. Depuis les dynasties les plus reculées, les pharaons avaient pour coutume de les présenter en offrande aux dieux de l'Égypte.

L'encens était également utilisé par les Babyloniens à la fois comme purification et offrande à leurs dieux. Des brûleurs d'encens avaient d'ailleurs été trouvés lors des fouilles effectuées en Crète, dans les tombes de la civilisation minoenne[1].

Les Grecs, mais plus encore les Romains, avaient coutume de brûler l'encens à foison. La diffusion du parfum de l'encens et l'ascension de la fumée qui s'en dégageait étaient les

---

1. Période de l'histoire de la Crète qui va du IIIᵉ millénaire à environ 1100 av. J.-C. Les premières fouilles effectuées à Cnossos en 1900 ont permis de mieux connaître cette ancienne civilisation. (N.d.T.)

signes manifestes des prières des fidèles qui, se prosternant devant leurs dieux, invoquaient le paradis. Les arbres d'où était extrait l'encens et les arbustes qui donnaient la myrrhe poussaient dans l'Arabie du Sud, représentant un véritable commerce qui tentait de satisfaire la demande des autres pays.

De longues caravanes de chameaux traversaient les trois mille kilomètres de la péninsule arabique, transportant leur précieuse marchandise le long de la célèbre route de l'encens.

Richard Burton (1821-1890) était la personnalité la plus passionnante de sa génération. Il fut d'une aide considérable pour le monde dans les domaines de la littérature et de la géographie. Il était aussi bien poète que voyageur, soldat, diplomate, inventeur, explorateur, auteur, archéologue, linguiste, anthropologue, ainsi que grand spécialiste de religion, et, sans aucun doute... de pornographie.

De nombreuses biographies lui ont été consacrées, mais aucune ne lui a vraiment rendu justice. Il était sans doute bien trop exceptionnel, bien trop mystérieux pour son époque.

Maintenant qu'il est mort, nous ne savons toujours pas expliquer ce grand magnétisme qui le caractérisait. Ceux qui liront les *Contes des Mille et Une Nuits* ne manqueront pas de se souvenir qu'il avait été le premier à traduire ce livre.

Sur la petite plaque de marbre, à côté de la tente arabe où Richard Burton est enterré, à Mortlake, est inscrit un sonnet de Justin Huntly McCarthy :

Ô dernier des plus nobles des chevaliers errants
Soldat anglais et cheik arabe
Ô chanteur de l'Est...

1881

1

Tout en regagnant sa demeure située dans Park Lane, le marquis d'Anglestone prenait plaisir à se remémorer l'agréable déjeuner auquel il avait été invité.

Lorsqu'il était convié à manger avec un Premier ministre au 10, Downing Street, il était généralement plus anxieux. Bien sûr, il y avait des exceptions, et Benjamin Disraeli en avait été une. Hélas, celui-ci n'avait conservé son poste que six ans.

William Ewart Gladstone, successeur de Disraeli, était un hôte plutôt ennuyeux. Cependant, le marquis avait lié connaissance avec des invités brillants et fort intéressants. Ensemble, ils parlèrent des affaires extérieures, tout de même plus passionnantes que les habituelles histoires de domestiques. Il prit beaucoup de plaisir à écouter le secrétaire d'État aux Indes débattre des conditions de vie en Orient. Mais la présence de l'ambassadeur de Russie exigeait une certaine discrétion : il fallait parler à voix basse, ce qui rendit les discussions bien mystérieuses.

Le marquis était un homme très intelligent qui se passionnait pour l'Orient. Il espérait secrètement qu'un jour viendrait où la reine le nommerait vice-roi des Indes ou gouverneur de son vaste empire. Mais pour l'instant, on le jugeait trop frivole ou trop jeune pour remplir ces hautes fonctions. Il faut dire que sa position faisait rêver bien des femmes et, avec un physique aussi séduisant que le sien, elles ne cessaient de le harceler.

Malgré ce succès évident, le jeune homme était fermement décidé à rester célibataire. Toutefois, ses *affaires de cœur*[1] ne regardaient que lui et il n'aimait pas en parler.

Enfant, il avait été marqué par le peu d'amour que s'étaient témoigné ses parents. Ceux-ci se comportaient hypocritement en société. Seuls leurs proches connaissaient la réalité de leurs rapports. Le marquis avait adoré sa mère, une femme merveilleusement belle, et il avait également beaucoup admiré son père. Mais, à trente-trois ans, le jeune homme était toujours attristé par ce manque d'amour qui caractérisait ses parents.

Aussi avait-il très peur de vivre un jour avec une femme qu'il n'aurait pas aimée. Ce qui

1. En français dans le texte.

paraissait peu probable, tant la gent féminine le trouvait irrésistible... Avant qu'il n'ait eu le temps de leur demander leur nom, les jeunes filles lui tombaient dans les bras.

Pourtant, il se rendait à l'évidence : toutes ses liaisons ne duraient jamais très longtemps. Et d'ailleurs, il était le premier à se lasser.

Il lui semblait incroyable qu'une femme fort séduisante tout d'abord pût se révéler tout à fait ennuyeuse. Que d'enthousiasmes déçus, bientôt transformés en conversations bien mornes !

Il essayait alors de se persuader que le rôle d'une femme se limitait à honorer sa table et son lit.

En revanche, c'est auprès de ses nombreux amis qu'il pouvait donner libre cours à son intelligence et c'est avec eux qu'il aimait discuter. Il se disait souvent que la femme la plus charmante ne pourrait jamais rivaliser avec le bonheur qu'il avait à s'élancer dans des discours brillants. Il en avait assez de toutes ces élégantes qui ne pensaient qu'à l'entraîner dans leur lit.

« Que vais-je devenir ? » s'interrogeait-il parfois. Les années passaient et il ne trouvait pas de réponse à cette question.

Le cabriolet du marquis arrivait à la hauteur de la grille d'une somptueuse demeure. Un vieux maître d'hôtel s'approcha et annonça :

— Lady Hester Wyn attend Monsieur le marquis dans le salon.

Le marquis fronça les sourcils.

— N'avez-vous pas dit à cette dame que j'étais sorti ? demanda-t-il contrarié.

— J'ai dit à cette dame que nous ne savions pas à quelle heure Monsieur le marquis serait de retour, mais elle a insisté pour attendre.

Le marquis tendit alors son chapeau et ses gants à un valet de pied qui attendait près du cabriolet, puis il se dirigea d'un bon pas vers l'escalier central qui conduisait au premier étage où se trouvait précisément le salon.

C'était une salle vaste et anonyme conçue pour recevoir un grand nombre d'invités. Sachant que la jeune femme avait très peu compté dans la vie de leur maître, les domestiques avaient préféré la faire attendre là plutôt que dans le cabinet de travail du marquis, beaucoup trop intime.

Car, en effet, les deux jeunes gens avaient connu une passion, brûlante mais passagère.

Lady Hester était d'une grande beauté et assurément la femme la mieux faite de tout Londres. Hélas, comme toutes celles qui l'avaient précédée, elle avait séduit le marquis par son corps mais l'avait déçu par son cerveau.

Lorsque la saison de la chasse avait commencé, à la fin du mois d'octobre, le jeune homme était parti à la campagne. A son retour, il n'avait eu aucune envie de renouer avec lady Hester.

En fait, c'était l'une des rares liaisons à s'être terminée du jour au lendemain sans causer trop de dégâts. Car les autres ruptures donnaient lieu la plupart du temps à des scènes interminables.

Que pouvait bien lui vouloir, aujourd'hui, la jeune Hester ? Il se souvenait qu'elle avait eu une liaison avec l'ambassadeur d'Italie aux alentours de Noël et que leur relation, d'ailleurs, avait fait grand bruit. L'ambassadeur était un homme fort bien de sa personne que le marquis avait rencontré au *White's*, son club londonien.

Il était toujours absorbé dans ses pensées lorsqu'il arriva à la hauteur de la porte du salon qu'un domestique s'empressa d'ouvrir.

Lady Hester attendait, debout, devant l'une des fenêtres qui donnaient sur le jardin.

L'été, ce jardin ne manquait pas de charme lorsque le marquis y donnait des réceptions. On accrochait aux arbres des lampions de couleur et les allées étaient baignées d'une douce lumière. Il n'était pas rare alors de voir de jeunes couples disparaître derrière des bosquets...

Comme il observait la jeune fille en silence, le marquis se souvint de leur toute première nuit, lorsqu'il l'avait embrassée. C'était justement derrière l'un de ces petits bosquets. La belle ne s'était pas fait prier. Très vite, elle s'était révélée ardente et terriblement possessive.

Debout, sur le tapis d'Aubusson, le jeune homme se disait une fois de plus que son ex-maîtresse était vraiment très jolie.

Il savait que de nombreux hommes avaient déjà écrit à son sujet. Combien d'éloges sur le bleu irréel de ses yeux ! Combien aussi de vers flattant sa beauté classique ! Fière et altière, la jeune femme évoquait l'une de ces déesses descendues tout droit de l'Olympe.

« Dommage qu'elle se transforme en tigresse sitôt que je la touche ! » se dit le marquis.

En effet, il se rappela les nombreux scandales qui pouvaient d'ailleurs aller jusqu'à la crise d'hystérie lorsqu'il avait l'imprudence de regarder une autre femme.

Plus il l'observait et plus il la trouvait ravissante. Plus il la trouvait ravissante et plus il craignait le pire ! Il lui fallait se rendre à l'évidence : cette belle jeune femme lui avait fait certes passer six mois inoubliables, mais aujourd'hui elle ne faisait plus partie de sa vie.

Lorsqu'il l'eut rejointe près de la fenêtre, il s'exclama d'un ton qu'il voulait naturel :

— Quelle surprise, ma chère Hester !

La jeune femme qui ne l'avait pas entendu venir se retourna avec la rapidité de l'éclair et déclara aussitôt :

— Il fallait que je vous voie de toute urgence.

— J'espère que ce ne sera pas long, je

m'apprêtais justement à sortir pour aller faire une promenade à cheval.

— Les chevaux! Toujours les chevaux! Vous n'avez que ce mot à la bouche. Comment une femme pourrait-elle trouver une place entre deux pur-sang arabes?

En disant cela, Hester se forçait à rire.

Le marquis qui était habitué à ce genre de réflexions désagréables ne répondit pas, se dirigeant naturellement vers la cheminée. La jeune femme le suivit et prit aussitôt la pose qui l'avantageait le plus. Elle savait pertinemment qu'il appréciait les jolies formes et était bien décidée à ne jamais laisser passer une occasion où elle pourrait se servir de son corps pour arriver à ses fins. Ainsi donc elle se trémoussait, prenant un air malicieux qui en disait long pour le jeune homme qu'elle avait trop souvent piégé.

Tout dans son attitude trahissait le fond de sa pensée. A dessein, elle avait mis sa robe la plus moulante. Celle-ci soulignait sa taille fine tout en faisant rebondir de manière exagérée sa poitrine. Le jeune marquis ne put s'empêcher de penser que bien des hommes auraient depuis longtemps succombé à de tels charmes dans un pareil moment.

Il invita alors la jeune femme à prendre place en face de lui sur le petit sofa. Puis sans plus attendre, il demanda:

— Alors, ma chère, que me vaut cette visite?

— Figurez-vous, Virgil, que j'ai une excellente nouvelle à vous apprendre. J'attends un enfant !

Il y eut un court silence puis le marquis qui ne savait trop comment interpréter la nouvelle s'empressa de dire :

— Toutes mes félicitations, Hester. Et... qui est l'heureux père ?

A cette question, la jeune femme sursauta et répondit, effrontée :

— Qui sinon vous, mon pauvre Virgil !

— Moi ? balbutia le marquis. Mais c'est impossible ! Que racontez-vous ?... Si c'est une farce, Hester, sachez qu'elle n'est pas drôle !

— Mais ce n'est pas une farce ! assura, moqueuse, Hester.

Puis voyant le désarroi dans lequel elle avait plongé son ex-amant, elle ajouta, venimeuse :

— Quel père plus idéal que vous, mon cher Virgil ?... Mon enfant aura pour père le marquis d'Anglestone !

Alors, le regard du jeune marquis se glaça :

— Votre enfant n'est pas le mien ! dit-il froidement. Quel est donc ce chantage, Hester ?

— Oh ! quelle vilaine pensée de la part de quelqu'un que je croyais juste et généreux, ironisa celle-ci.

— Si vous attendez de moi que je reconnaisse l'enfant d'un autre homme, vous perdez votre temps, Hester ! déclara fermement le jeune homme.

— Je crains, mon cher, que vous n'ayez pas le choix, fit alors remarquer la jeune femme.

Puis, poussée par la colère, elle se leva, fit quelques pas et reprit sa place sur le sofa de soie bleue.

— Finissons cette comédie, Hester, mon temps est compté, je dois sortir.

— Hélas pour vous, mon pauvre Virgil, cette comédie est des plus sérieuses et vous devrez accepter d'être le père de l'enfant que je porte.

— Vous êtes sans doute devenue folle...

Il n'eut pas le temps de terminer sa phrase qu'Hester le somma de l'écouter :

— C'est bien simple, je vais avoir un enfant et l'homme qui me l'a fait est bien incapable de faire face à une telle situation...

— ... Et tout naturellement vous avez pensé à moi ! ironisa le marquis.

— Comment résister lorsqu'on a parmi ses relations un marquis d'Anglestone célibataire ! poursuivit la diablesse.

Puis voyant que son ex-amant se levait brusquement, elle demanda :

— Où allez-vous ?

— Je sors, cette histoire est absurde...

— Je m'attendais à ce que vous vous débattiez tel un tigre enragé à l'annonce de cette nouvelle, mais il vous faut comprendre que toute tentative de fuite est inutile, voire dangereuse pour vous... La reine[1] pourrait le savoir et...

1. Il s'agit de la reine Victoria. *(N.d.T.)*

— Taisez-vous ! ordonna le marquis que cette menace avait glacé. Décidément, je vois que vous êtes prête à tout.

— De toute façon, mon père est déjà prévenu de notre mariage. Je suis sûre que sa présence à la cérémonie vous fait très plaisir, dit-elle, grinçante.

Dans une grande résignation, le jeune marquis interrogea :

— Mais pourquoi faites-vous cela, Hester ?

— Je croyais avoir été claire. Personne d'autre que vous dans ma vie, pour le moment, ne fait un meilleur père pour cet enfant que j'attends.

— Mais aucun homme sensé ne peut accepter une telle situation, c'est absurde !

La jeune femme laissant alors libre cours à sa jalousie s'exclama :

— Je n'ai jamais pu supporter que vous m'ayez quittée pour cette poison de Mary Cowley !

Le jeune homme garda le silence. L'idée d'étrangler de ses deux mains ce cou de cygne qui s'égosillait devant lui sans pudeur l'effleura. Puis ses yeux croisèrent ceux d'Hester qui s'efforçait maintenant de prendre un ton vainqueur :

— Vous êtes à moi, Virgil, comme vous l'avez toujours été, et vous voilà pris à jamais !

Puis, plus fort encore, elle s'exclama :

— L'éternel célibataire a trouvé à qui parler !

Le jeune homme qui était demeuré debout vint alors prendre place à ses côtés et dit:

— Maintenant écoutez-moi bien, Hester. Il est hors de question que j'accepte une chose aussi démente. Cet homme auquel vous avez tout à l'heure fait allusion...

Hester ne lui laissa pas le temps de poursuivre et s'écria:

— Cet homme s'appelle David Midway. Il est aussi pauvre qu'un rat d'église! Je ne veux pas de cette vie-là! Je veux de l'argent! Beaucoup d'argent!

— Je vous comprends bien, ma chère Hester, à cela, il me sera facile de remédier, dit-il, faisant allusion à une éventuelle pension.

A tout prendre, un tel arrangement était préférable à une union indéfinie! Elle devina ses pensées et dit:

— Je n'ai jamais pu me faire à l'idée d'être pauvre. D'autre part, je trouve que les diamants d'Anglestone m'iraient à merveille, qu'en pensez-vous?

— Ah! Jamais une femme ne me piégera de la sorte! Jamais, jamais, vous m'entendez, je ne serai le père d'un bâtard!

— Oh! Virgil, quel vilain mot! Comment pouvez-vous parler ainsi devant une femme?

— Une femme, certes! mais pas n'importe laquelle, il me semble, ironisa-t-il.

— Oh! Virgil! s'indigna Hester.

— Ma chère, ce que vous tentez de faire est tout simplement criminel!

— Cet été, vous étiez plus romantique, sembla regretter sincèrement la jeune femme qui prit aussitôt son air le plus coquet... Souvenez-vous de ce magnifique collier de perles noires que vous n'avez pas hésité à m'offrir afin qu'il rende ma peau plus blanche encore !

Le jeune marquis n'en pouvait plus. Il se leva, les yeux au ciel, les poings crispés et se dirigea vers la fenêtre où tout à l'heure elle l'attendait.

Ce collier de perles noires, il ne s'en souvenait que trop bien. Il se revoyait, tiré par le bras devant une bijouterie de Bond Street puis quelques minutes plus tard payant le collier à contrecœur tant il lui avait paru cher.

La nuit même, la belle Hester lui avait fait du charme avec pour unique parure ledit collier, et elle avait terminé dans son lit.

« Comment ai-je pu me laisser entortiller de la sorte ? » se lamenta-t-il. La tigresse avait fini par transformer une petite amourette sans réelle importance en un cauchemar sans précédent. Le jeune homme sentait maintenant que le piège se rabattait peu à peu sur lui.

Lady Hester avait eu une liaison à l'âge de seize ans avec un homme qu'elle n'aimait pas qui était employé de son père, le duc de Rotwyn. Ce dernier avait fini par marier sa fille à un prétendant presque aussi âgé que lui. Inutile de dire que la jeune Hester, dès les premiers mois de son mariage, lui avait fait de nombreuses infidélités. Elle avait fréquenté, entre autres hommes, un *comte français*[1], cela, dès sa lune de miel avec son vieux mari ! Lequel d'ailleurs mourut assez tôt, libérant la jeune femme d'un mariage auquel personne n'avait beaucoup cru.

« Comment ai-je pu être aussi sot ! » se morfondait le pauvre jeune homme.

Il savait aussi que le père d'Hester était duc d'un État couvert de dettes et que ce mariage arrangerait bien des choses pour cet homme.

« Mais que vais-je donc devenir ? » se lamenta-t-il encore. Sa tête allait éclater. Que de problèmes tout à coup se dressaient dans sa vie, que de questions insolubles !

— Alors, Virgil, que décidez-vous donc ? finit par dire sèchement Hester.

— Laissez-moi vous proposer quelque chose...

Il s'interrompit quelques secondes avant de poursuivre.

— Voilà, je suis prêt à vous verser 10 000 livres par an jusqu'à ce que vous trouviez un homme qui soit assez riche pour que vous puissiez vous passer de cet argent.

— Pensez-vous réellement que je puisse me contenter d'une somme pareille alors que je peux tout aussi bien être votre femme ? s'étonna-t-elle, narquoise.

1. En français dans le texte.

Que faire ? Le pauvre homme devenait fou, il allait étrangler cette vipère qui prétendait au titre de marquise. Il allait tuer cette femme qui voulait prendre la place de sa mère, à la cour, dans sa maison de campagne de New-market et pourquoi pas aussi dans le domaine du Leicestershire.

Il devait retrouver son calme, surtout ne pas se laisser aller à la violence qui montait en lui. Cette folle allait se décourager et changer d'avis. Il ne pouvait en être autrement. Il le fallait !

Les deux jeunes gens, comme fatigués et à bout d'arguments, se turent alors quelques minutes. Mais bien vite ce silence devint insupportable, et il fallut le briser. Hélas, Hester plus tenace que jamais déclara, radieuse :

— Voyez, Virgil, nous sommes tous deux fatigués. Soyez sage et rendez-vous donc à l'évidence : vous êtes entre mes mains. Il nous faut maintenant nous mettre d'accord sur la suite à donner aux événements.

Le jeune homme, résigné, écouta.

— Lorsque papa sera là, nous arrangerons un gentil petit mariage sans histoire. Je suis sûre que c'est ainsi que vous souhaitez que les choses se déroulent. Nous partirons pour notre lune de miel et lorsque le bébé naîtra au bout de sept mois, il n'y aura qu'à dire qu'il est prématuré !

Il était effrayant de l'écouter parler. Tout, jusqu'au moindre mot, était calculé. Cette femme était bien la plus démoniaque qu'il ait jamais rencontrée! Le marquis serrait les dents, il était hors de lui.

— Comme vous semblez fâché! ironisa la belle Hester. Mais vous ne le serez pas long-temps, vous verrez que bien vite je me révélerai moins encombrante que la plus séduisante de toutes vos conquêtes!

Il aurait voulu lui dire combien déjà elle le mettait mal à l'aise et combien aussi elle lui paraissait odieuse, mais elle ne lui en laissa pas le temps.

— Vous verrez, nous allons être très heureux. Sitôt que l'enfant sera né, chacun de nous retrouvera sa liberté... Quoi de plus civilisé, n'est-ce pas? interrogea-t-elle cyniquement.

— Votre comportement est loin d'être civilisé en tout cas! ne put s'empêcher de dire le jeune marquis.

— Mais n'est-ce pas ce qui vous a justement toujours plu en moi? demanda la diablesse qui décidément avait réponse à tout.

Elle se renversa alors en arrière, laissant échapper un rire de jeune fille. Le jeune homme ne savait que faire de toute cette comédie. Puis très vite elle se redressa et vint se tenir debout, tout près de lui. C'était une femme très élégante et toujours enveloppée de lourds et capiteux parfums comme les aimaient les femmes fatales.

— Bien, je dois m'en aller à présent, Virgil.

Promettez-moi de me téléphoner demain soir, papa sera arrivé alors.

Puis d'une voix encore plus câline, elle ajouta :

— Et n'oubliez pas que vous devez me faire un joli cadeau...

Une fois de plus, le jeune marquis serra les dents. Hester tourna les talons et sortit.

Enfin seul, le pauvre Virgil leva les bras au ciel, implorant tous les dieux de la terre. Il se demandait dans quelle aventure il était en train de sombrer et ce que lui réservait l'avenir. Il était à bout de forces, anéanti.

Ce n'est qu'une heure après qu'il se sentit le courage de quitter le salon pour descendre l'escalier et demander qu'on lui fasse chercher son cabriolet. Avant de sortir, il passa à son bureau. C'était un endroit calme et bien décoré. Sur les murs, il avait accroché des gravures anciennes représentant des chevaux de course.

Pour cette pièce, il avait choisi un éclairage tamisé, ce qui rendait l'atmosphère intime. Il se dirigea donc vers la cheminée et prit au hasard l'un des journaux qui traînaient sur le petit guéridon, placé devant l'âtre. Il le feuilleta, agacé, réalisant que très bientôt Hester exigerait que l'une des colonnes du *Times* ou encore du *Morning Post* soit consacrée à l'annonce de leur union !

« Dieu ! mais que vais-je devenir ? » se demanda-t-il, angoissé.

Il faut dire que l'année précédente, le jeune couple avait beaucoup fait parler de lui lors des soirées mondaines. Le marquis qui avait fui quelques jours à la campagne pour éviter sa bien-aimée trop envahissante avait évidemment fait jaser...

La belle avait aussitôt regagné la demeure paternelle, et très vite, elle s'était consolée de l'escapade de son fiancé en prenant un amant. Celui-ci se nommait David Midway et leur liaison avait duré quelques jours.

L'ambassadeur italien n'avait pas tardé à prendre sa suite, Hester étant bien incapable de se contenter d'un seul homme ! D'autant que malgré son charme incontestable, Midway avait pour père un baronnet et de ce fait était plutôt pauvre.

Le marquis ne pouvait que déplorer le comportement instable de la jeune femme, étant le premier à en faire les frais. « Je suis pris au piège ! Si je refuse d'être le père de cet enfant, elle n'hésitera pas à aller voir la reine, et cela, je ne le veux pas ! » se lamenta-t-il.

La reine était extrêmement sévère et jamais elle n'aurait toléré qu'un membre de sa cour fasse l'objet d'un scandale.

Le père du marquis avait été maître de la Maison du Roi pendant de longues années, et Virgil savait pertinemment que ce n'était qu'une question de jours pour que ces mêmes fonctions lui soient enfin confiées.

Quant à sa mère, elle avait été dame de la

Chambre et la reine avait toujours manifesté beaucoup d'affection pour elle.

La reine aimait la compagnie de galants hommes, et le jeune marquis répondait à cette exigence. Elle le remarqua assez rapidement parmi les autres.

Cela lui valut quelques jalousies à la cour. Il n'en tint pas compte et même parfois les provoqua avec une certaine fierté.

Combien de fois s'amusait-il à ravir les femmes que convoitaient ses compagnons ? N'avait-il pas un jour offensé un homme d'État de grande influence en subtilisant ni plus ni moins une petite danseuse de Covent Garden sur laquelle celui-ci avait des visées ? Le jeune couple avait bien ri, par la suite, de cette entourloupette.

C'est alors qu'il se remémorait ces quelques anecdotes amusantes de sa vie qu'un domestique vint le prévenir que son cabriolet l'attendait dans la cour. Dans un premier temps, il ne sut pas où aller. Il avait un grand besoin de rencontrer un ami à qui il pourrait tout raconter. Après quelques secondes d'hésitation, il demanda à être conduit à son club, le *White's*.

Le cocher fouetta les chevaux et le marquis, confortablement installé à l'arrière de la voiture, se laissa aller à rêvasser.

Ils ne tardèrent pas à atteindre le club. Quel réconfort pour le jeune homme que de se retrouver dans cet endroit qu'il aimait tant. Cossu et calme, le *White's* accueillait essentiellement des hommes d'affaires, des diplomates dont certains étaient de vieux amis du marquis.

Lorsqu'il aperçut, assis dans le petit salon près de la cheminée, lord Rupert Lidford et deux autres hommes qui discutaient, Virgil se sentit soulagé. Il se précipita sur eux, bien décidé à se tirer d'affaire.

— Tiens, voilà Anglestone ! s'exclama lord Rupert.

Le marquis eut à peine le temps de se faire une place aux côtés de ses amis que déjà le maître d'hôtel vint prendre la commande des boissons.

— Un double brandy-soda ! demanda sans hésiter le marquis.

Son ami Rupert fut très surpris car le marquis était réputé pour sa sobriété. En effet, passionné de courses et parce qu'il montait ses propres chevaux, il lui fallait garder la forme et par conséquent boire et manger avec modération.

— Figure-toi, Virgil, que nous étions en grande conversation au sujet du très célèbre Richard Burton...

Le jeune homme semblant déconcerté, l'un des amis crut bon de préciser :

— Vous savez... c'est celui qui a écrit un tas de livres...

— Oui, il a aussi réussi à pénétrer dans La Mecque grâce à son déguisement...

— Vous vous souvenez, cela s'est passé en 1853.

Mais voyant que son ami ne disait toujours rien, les yeux perdus dans le vague, lord Rupert ajouta :

— Nous étions en train de nous chamailler... car qui aujourd'hui serait capable d'un acte aussi courageux ? Qui oserait traverser la Cité interdite sous un déguisement ?

— Pensez-vous comme Rupert que nous soyons tous des froussards ? demanda lord Summerton.

— Bien sûr que nous sommes tous des froussards, comme vous dites ! s'indigna lord Rupert. Nous vivons dans du coton et cela est dangereux car la paresse nous gagne, puis peu à peu l'indifférence, et bientôt la peur, tout simplement, la peur ! Ce Burton n'a pas hésité à risquer sa vie par simple curiosité ! Nous sommes des froussards et des lâches !

— Eh bien, moi, je ne suis pas de cet avis ! répondit sèchement lord Summerton.

Voyant que l'ambiance se dégradait, lord Rupert plaisanta :

— Imaginons un instant Virgil affublé de quelques vieux morceaux de tissu au beau milieu de La Mecque...

L'image était insolite et ne manqua pas de faire sourire certains des jeunes hommes. Seul le marquis resta de marbre.

— Je suis prêt à parier 10 000 livres qu'il ne le fera jamais ! prit le risque de dire lord Rupert.

— Je tiens le pari ! déclara alors calmement le marquis.

— Il est fou ! dit l'un.

— C'est une plaisanterie ! assura un autre.

— Pas le moins du monde, rétorqua Virgil.

Il y eut alors un long silence, puis Rupert, plus calme, reprit :

— Ainsi donc vous tenez le pari ?

— En effet, j'irai à La Mecque ! Et lorsque je reviendrai vous me devrez la coquette somme de... ?

— Eh bien, je vous devrai alors 10 000 livres, répondit Rupert.

Sur ces mots, le maître d'hôtel se présenta de nouveau, et il déposa les commandes sur la table basse autour de laquelle étaient installés les jeunes hommes.

Le marquis, grisé par le pari qui venait d'être conclu, but d'un seul trait son verre de brandy et Rupert ne put s'empêcher de déclarer :

— Vous êtes devenu fou !

Sur la route qui le menait à Park Lane, lord Rupert, jusque-là très calme, demanda soudain à son compagnon :

— Étiez-vous sérieux tout à l'heure, ou était ce encore l'une de vos bonnes blagues ?

— Sachez, mon cher Rupert, que je n'ai jamais été plus sérieux qu'aujourd'hui et que je compte quitter l'Angleterre dès demain matin.

— Demain matin ? s'écria Rupert.

— Oui, demain matin je serai loin... loin de cette diablesse... confia alors le jeune Virgil, comme malgré lui.

— Que racontez-vous là, mon cher Virgil ?

— Tout plutôt que d'épouser cette folle !

— Mais enfin ! de qui parlez-vous ?

— Il me faut à tout prix fuir lady Hester, mon cher Rupert ! La tigresse s'est mis dans la tête de m'épouser !

— Hester Wyn ? Mais je vous croyais séparés depuis longtemps !

— Nous l'étions ; mais voilà que la belle revient à la surface. La diablesse attend un enfant, vous comprenez ?

— Non, je ne comprends rien à rien !

— Moi non plus à vrai dire... murmura distraitement Virgil.

— Mais enfin, cet enfant est-il de vous ?

— Bien sûr que non ! Je n'ai eu aucune relation avec cette folle depuis septembre dernier !

— Qu'est-ce que c'est que cette histoire ?

— Une histoire de fou ! Figurez-vous qu'Hester ne veut que moi pour père de son enfant. Elle rêve d'être riche et me menace d'aller voir la reine si je me défile ! Incroyable, non ?

— Mais pourquoi diable toute cette comédie ? Qui est donc le véritable père ?

— Midway, trop pauvre pour la belle Hester aux dents longues !...

30

— A vrai dire, Virgil, j'ai toujours trouvé curieux qu'elle n'ait fait aucune scène lors de votre séparation !

— Voyez-vous, mon cher Rupert, j'ai moi-même été très étonné de son comportement. Mais elle avait son idée en tête et c'est maintenant que la belle se venge !

— Et c'est à cause de cette femme que vous quittez l'Angleterre ?

— J'irai n'importe où, sur la lune s'il le fallait, pourvu qu'elle me fiche la paix !

— Je comprends votre désespoir, Virgil, mais la Cité interdite est terriblement dangereuse.

— Ce pari est venu à point. Déjà je me sens comme délivré !

A ces mots, ses yeux se perdirent dans le vague et il demanda :

— Rupert, il va falloir que vous m'aidiez.

— Que puis-je faire pour mon vieil ami ? dit amicalement le jeune homme.

— Voilà, il faut que je puisse quitter le pays sans qu'Hester n'aille s'en plaindre à la reine...

— Continuez, insista Rupert.

— J'attends de vous que notre pari soit connu sans pour autant que les journaux en soient informés... Cela va être délicat. Il faut absolument que tous nos amis croient à un exploit sportif ou à je ne sais quoi d'autre mais surtout pas à une fuite comme va le crier haut et fort la traîtresse, j'en ai bien peur !...

— Vous êtes fou, Virgil, mais j'aime bien votre folie. Cependant, le risque que vous courez est vraiment de taille, dans la mesure où maintenant que le livre de Burton est sorti, les musulmans savent qu'un homme qui n'était pas des leurs s'est infiltré parmi eux... Vous comprenez, ils ont dû redoubler de vigilance.

— C'est ma dernière chance, Rupert, il faut que je la saisisse. Et dire que ce pari est une idée de vous !...

— Je ne sais si je dois en être fier...

— En tout cas, moi je me sens déjà mieux !

— Encore un mot, Virgil, dit Rupert qui avait toutefois la ferme intention de décourager son ami... Il faut que vous sachiez que, si par malheur vous vous faites prendre, le châtiment sera des plus redoutables...

Mais le vieil ami du marquis n'eut pas le temps de terminer sa phrase. Le jeune Virgil se mit en effet à rire aux éclats :

— Ne vous en faites pas, Rupert ! Il ne peut pas y avoir pire châtiment pour moi que cette Hester !

— Au fond, vous avez sans doute raison, déclara Rupert.

Le marquis savait qu'il s'était un peu plus livré qu'à son habitude, mais il savait aussi qu'il pouvait compter sur l'aide de son ami. En effet, ce dernier garderait le secret. Virgil pouvait rentrer chez lui le cœur léger.

Une fois de retour à Park Lane, le jeune marquis appela son secrétaire personnel et lui fit quelques recommandations pour le lendemain.

Quant à lord Rupert, il finit par se convaincre que cette histoire ne devait pas être une mauvaise chose pour son vieux compagnon, dans la mesure où celui-ci faisait réellement l'objet d'une persécution à laquelle il était grand temps de mettre fin. Finalement, il n'avait jamais beaucoup apprécié l'union de cette femme avec son meilleur ami. Très vite, il s'était rendu compte que Virgil perdait son temps auprès d'elle.

Il savait que ce dernier méritait mieux que cette coquette qui n'avait jamais été intéressée, en vérité, que par l'argent. Certes, elle était très séduisante, fort bien de sa personne et très élégante, mais cela ne suffisait pas.

Si Virgil l'épousait, elle le tuerait tôt ou tard ! De cela Rupert était convaincu.

Ainsi donc, ce départ pour La Mecque allait-il être libérateur... du moins lord Rupert le souhaita-t-il de tout son cœur.

2

Lord Rupert accompagna son ami au train de Douvres le lendemain matin.

Alors que le jeune marquis s'installait dans

le compartiment, lord Rupert demanda, quelque peu ému :

— Quand nous reverrons-nous, Virgil ?

Le jeune marquis qui pressentait que le voyage serait long répondit :

— Dès que je le pourrai, je rentrerai, Rupert.

— Vous voulez sans doute faire allusion à Hester ?

— J'espère que tout se réglera avec le temps...

— Comment pourra-t-elle vous oublier ?

— Il le faudra bien ! Si elle attend réellement un enfant, elle finira par se marier rapidement avec le premier venu qui voudra bien d'elle, répondit sèchement Virgil.

— Comment allons-nous pouvoir rester en contact ?

— Cela est une bonne question ! dit Virgil soudain de meilleure humeur. (Puis il ajouta amusé :) Vous dire d'écrire à Virgil, quelque part en Arabie, serait sans doute une adresse un peu vague, ne croyez-vous pas !

Et les deux amis se mirent à rire de bon cœur.

— Que comptez-vous faire de votre yacht ?

— Vous savez qu'il est possible d'envoyer des câbles dans à peu près tous les ports anglais... Celui d'Alexandrie, celui d'Aden... Ainsi je demanderai à mon capitaine de rester en contact avec vous par ce biais-là.

— Revenez-nous vite, cher Virgil, et en pleine forme ! dit Rupert, ému.

34

— Ce sera déjà bien que je revienne ! répondit le jeune marquis, un sourire amusé au coin de la bouche.

Les deux amis se quittèrent simplement quelques instants plus tard.

Le yacht du marquis, l'*Épervier des mers*, mouillait au port de Douvres. Le capitaine avait été prévenu de l'arrivée du jeune homme par le secrétaire de ce dernier. Ainsi tout avait été organisé à bord pour qu'il soit à son aise et ne manque de rien.

Sitôt sur la passerelle, Virgil, exalté par l'aventure qui l'attendait, cria à son capitaine de mettre sans plus tarder le cap sur le port d'Alexandrie.

Ce fut une traversée agitée sur une mer capricieuse, ce qui ne laissa pas le temps à Virgil de se pencher sur ses états d'âme.

A son arrivée à Gibraltar, on l'avertit qu'un câble l'attendait qui disait :

> *H. accablée par la nouvelle. Fais mon possible pour décourager commérages. Vous me manquez. Rupert.*

A cette lecture, le jeune homme sourit, satisfait, puis il prit soin de déchirer le mot en petits morceaux.

C'est sous un beau soleil que le bateau poursuivit sa course vers Alexandrie. Le jeune Virgil se sentait tout de même bien seul à bord. Il aurait tant aimé partager ses impressions sur l'Égypte avec un compagnon tout aussi passionné que lui par les pyramides, les pharaons...

Le bateau venait d'entrer dans le vieux port. Dès qu'il lui fut possible de mettre le pied à terre, Virgil alla se dégourdir les jambes. Déjà il se sentait curieux de tout.

C'est avec un immense bonheur et une formidable impression de liberté qu'il se fraya un passage parmi la foule des marchands, mais aussi parmi les nombreux mendiants qui lui tendaient leurs mains sales. Quand soudain un homme l'interpella :

— Anglestone ! Anglestone !

Le marquis se retourna, et, reconnaissant l'homme qui venait de l'interpeller, il s'approcha.

— Ça alors, Anglestone ! Vous êtes bien la dernière personne que je m'attendais à rencontrer en Égypte ! s'écria le major John Anderson.

— Je ne vois pas pourquoi ! rétorqua le jeune Virgil.

Le major Anderson rit et dit alors :

— Comment un homme qui fréquente la cour du prince de Galles peut-il venir se perdre ici ? Pour qui ? Pour quoi ?

Le marquis qui n'avait aucune envie de se livrer à cet homme dit tout simplement qu'il avait décidé de venir visiter Le Caire et de voir le canal de Suez sur un simple coup de tête.

— Le Caire ? C'est justement là que j'étais hier encore. Si vous y allez, il faut absolument que vous descendiez à l'hôtel Shepherd... Figurez-vous que j'y ai rencontré l'extraordinaire Richard Burton !

A ces mots, le marquis sursauta. Cet homme qu'il rêvait de rencontrer était donc abordable !

Il n'avait hélas pas lu son *Récit personnel d'un pèlerinage à Médine et à La Mecque*, qui avait été publié en 1855.

— Êtes-vous sûr que Burton soit encore au Caire à l'heure qu'il est ?

— Il m'a dit qu'il y resterait jusqu'à ce qu'il obtienne l'autorisation de chercher de l'or dans la région.

— Dans ce cas, je dois le rencontrer de toute urgence.

— Je dois vous avertir qu'il est inscrit à l'hôtel sous le nom de docteur Abdullah.

— Je vous remercie de tous ces renseignements.

Sans plus tarder, il rejoignit le yacht et demanda que ses bagages soient prêts d'ici deux heures. Il avait en effet décidé de prendre le train pour Le Caire.

Sitôt à l'hôtel, il s'empressa de s'informer. On lui confirma que le docteur Abdullah était bien parmi les clients de l'établissement, ce qui ne manqua pas de le soulager et de l'encourager à rédiger une petite note à son intention, l'invitant à le rejoindre dans le salon privé.

Le marquis n'en revenait pas de sa hardiesse. Puis il se dit qu'il ne fallait pas hésiter à prendre de telles initiatives lorsqu'il s'agissait de personnages aussi intéressants.

Cet extraordinaire explorateur avait merveilleusement écrit sur chacun des pays qu'il avait eu la chance de visiter. Nombreux étaient ceux qui s'étaient passionnés pour ces écrits concernant la vallée de l'Indus, la Californie ou encore cet ouvrage splendide intitulé *Goa et les montagnes Bleues*.

Il se souvenait que pas un dîner, pas une réception ne se terminait sans que le nom de Burton ne fût prononcé. Il faisait l'unanimité. Certains allaient même jusqu'à dire que son livre qui traitait du bassin du Nil serait bientôt un classique.

Cet homme était d'une intelligence exceptionnelle. Parlant vingt-huit langues, il faisait l'admiration de tous. Le jeune Virgil se souvenait d'ailleurs d'une anecdote amusante à ce sujet qui lui avait été rapportée un jour à son club, à Londres. L'un de ses amis, après quelques verres, avait ainsi plaisanté :

— Sur ces vingt-huit langues, n'oublions pas celle de la pornographie !

Toute l'assistance avait ri et Virgil en souriait encore. Soudain plus décontracté, il décida d'attendre Burton, un verre à la main.

Bientôt, quelle ne fut pas sa surprise lorsqu'il vit la porte du salon s'ouvrir.

De carrure imposante, l'homme qui entra dégagea aussitôt quelque chose d'irrésistible. Il s'avança, en toute simplicité, le sourire aux lèvres. C'est alors que le jeune marquis troublé par tant de naturel lui tendit la main :

— Vous... vous êtes venu ?

— Je suis très heureux de vous rencontrer, mon cher, j'ai beaucoup entendu parler de vous et de vos chevaux...

— Vraiment, je suis très fier qu'un grand homme comme vous ait accepté mon invitation. J'ai entendu dire que vous alliez publier un nouveau livre...

— En effet. Mais il sera imprimé à titre privé. Je pense que ce sera l'un de mes meilleurs.

— Je vous souhaite beaucoup de succès.

— Je vous remercie. Mais, dites-moi, que puis-je pour vous, mon cher ?

Le marquis, que la situation avait intimidé, invita Burton à s'asseoir dans un petit fauteuil en face de lui et sonna un domestique qui apporta des boissons rafraîchissantes peu de temps après.

— Voilà, c'est tout à fait par hasard que j'ai rencontré au port d'Alexandrie une vieille connaissance qui au cours de notre conversation m'a parlé de vous. Je voulais depuis longtemps vous rencontrer, et, apprenant que vous étiez au Caire, je n'ai pu résister à tenter ma chance.

— Vous avez bien fait, dit Burton en toute simplicité.

— Je ne sais comment vous dire... je rêve de pouvoir moi aussi pénétrer La Mecque...

A ces mots, Burton ouvrit grands ses yeux et demanda, perplexe :

— Êtes-vous sérieux ?

— Hélas oui, je serais si fier de suivre vos pas...

— Mais, mon cher jeune homme, cela est impossible ! s'exclama Burton.

— Impossible ? Mais pourquoi donc ?

— Mais voyons, jeune homme, vous risquez votre vie, tout simplement.

— Cela je le sais, mais mon désir de voir La Mecque de près est plus fort.

— Dans ce cas, je vous conseille de faire votre testament, dit Burton très sérieusement.

— C'est que... mon histoire est longue à expliquer... Disons que j'ai fait un pari avec un ami en Angleterre et que je me dois de le tenir.

L'explorateur se mit alors à rire de bon cœur et dit :

— Je vois, je vois... mais je suis quelque peu déçu que cette urgence qui semble vous animer n'ait rien à voir avec cette fièvre qui me fait faire les pires folies. Cette fièvre n'est rien d'autre qu'une formidable passion pour la vie, pour l'aventure, un amour du risque, du danger défiant sans hésiter les dieux eux-mêmes !

Il ne savait plus comment s'arrêter, tant il

se sentait heureux lorsqu'il évoquait ses voyages exceptionnels.

Le jeune Virgil était maintenant partagé entre un pari qu'il voulait gagner au plus vite et un état d'excitation et de curiosité que lui avait communiqué Burton.

— Je vous en prie, monsieur Burton, j'ai besoin de votre aide.

— Parlez-vous l'arabe, mon cher ?

— Non, mais j'ai de bonnes dispositions pour les langues.

— L'arabe est une langue difficile.

— Je peux prendre un professeur ou encore me faire escorter par un homme de confiance, me faisant passer pour muet, par exemple...

— Je vois que vous ne manquez pas d'imagination en tout cas ! dit Burton dans un grand rire, mais j'ai un autre plan pour vous. Laissons La Mecque pour l'instant et commençons par le commencement : l'Arabie du Sud, au-delà d'Aden.

Le jeune Virgil écoutait, confiant, celui qui peu à peu devenait son ami.

— A Aden je crains que vous ne soyez trop proche des Anglais. Mettez plutôt l'ancre dans le port de Qana.

Virgil écoutait les conseils, silencieux.

— Qana était le port d'origine des bateaux qui transportaient l'encens... le parfum des dieux disaient certains...

Il eut un petit sourire, puis continua.

— Avant Jésus-Christ, les pays dits civilisés

se faisaient livrer l'encens depuis Qana... et c'est à Qana que vous trouverez un homme, un de mes amis les plus chers qui pourra vous aider.

— M'aider ? demanda Virgil, rêveur.

— Oui, il vous aidera à trouver un guide, une caravane et... un déguisement.

— Je suis ému, vraiment, je ne sais comment vous remercier.

— Il vous suffit de demander, lorsque vous serez là-bas, Salem Mahana. Il fera l'impossible si vous lui dites que c'est moi qui vous envoie.

— Je ne sais comment vous remercier, monsieur Burton. Je n'en attendais pas tant !

— Le pèlerinage de Qana à La Mecque sera long, préféra prévenir l'explorateur, mais il est plus prudent pour vous d'approcher la ville sacrée par le sud plutôt que par la traditionnelle route du nord. A vrai dire, le danger est partout présent, mais quel bonheur lorsqu'on parvient à le dépasser !

— J'ai hâte de découvrir toutes ces sensations, répondit, impatient, le marquis.

— Il ne me reste plus qu'à vous souhaiter qu'Allah vous accompagne, dit Burton en serrant la main de son ami.

Puis il se ravisa et ajouta :

— Je voudrais vous faire un cadeau...

Sans plus attendre, il sortit alors de la pièce.

Virgil resta seul. Il en profita pour se

demander si de tels risques étaient bien nécessaires, puis il se dit que ses amis attendaient qu'il remportât ce pari, et qu'il ne pouvait plus reculer. Abandonner serait pire que de mourir entre les mains des musulmans fanatiques, du moins c'est ce qu'il se disait afin de se donner du courage.

« J'irai jusqu'au bout ! » souffla-t-il comme pour lui-même.

Richard Burton revint à cet instant précis, un livre à la main.

— Tenez, ce livre est pour vous.

— Est-ce l'un des vôtres ?

— Non, ce livre est l'œuvre d'un ami très cher, le professeur Edmund Tewin. Il traite justement du commerce de la myrrhe et de l'encens dans le passé. Vous devez réaliser que vous allez marcher sur les traces des caravanes du temps passé. Elles allaient d'Oman à l'Arabie, en passant tout près de La Mecque.

Une fois encore, le jeune marquis resta silencieux, médusé par le récit passionnant de son ami.

— Lorsqu'ils avaient atteint Pétra, ils ravitaillaient successivement l'Égypte, Rome et la Grèce. Ce trafic subsiste encore de nos jours...

— Êtes-vous en train d'insinuer que je devrai me faire passer pour un marchand ?

— Oui, c'est sans doute la meilleure solution, mais vous verrez avec Salem Mahana.

— En tout cas, je tiens à vous remercier du

fond du cœur de tout ce que vous faites pour moi.

— J'ai pour principe d'aider au maximum ceux qui s'ouvrent au monde qui nous entoure. Et je sais aussi combien il est satisfaisant de gagner lorsqu'on attend de vous que vous perdiez !

Le marquis se mit à rire.

— Ce doit être une sacrée satisfaction en effet ! Mais, dites-moi, je crois que vous-même avez un projet qui vous tient à cœur...

— Oh ! mais vous en savez des choses ! dit Burton sur un ton un peu taquin. C'est exact, je suis absolument convaincu qu'il y a de l'or en quantité dans la région et notamment autour du golfe d'Akaba.

— Je vous souhaite alors bonne chance, dit le marquis.

— Eh bien, bonne chance à vous aussi, mon cher, et qu'Allah vous protège ! dit à son tour Richard Burton.

Puis tous deux levèrent leur verre.

C'est alors qu'elle se rapprochait de la côte que la jeune Médina sentit sur sa peau la brise légère venant de la mer. Il avait fait si chaud jusque-là que ce petit souffle était le bienvenu.

Bien que son dromadaire ait marché d'un bon pas, la jeune femme avait craint de n'atteindre Qana qu'à la nuit tombée.

Elle avait conservé la caravane et les hommes

que son père avait soigneusement choisis quelque temps auparavant. Celui-ci venant de disparaître, elle éprouvait un désir étrange de se rendre auprès de l'un de ses meilleurs amis, Salem Mahana.

C'est avec un soulagement extrême que Médina aperçut alors ce que les Arabes appelaient « La Forteresse des Corbeaux ». Elle savait qu'elle n'était plus très loin de cet ami de la famille.

Sur son brave dromadaire, elle se remémorait les histoires qu'avait l'habitude de lui raconter son père. Il lui avait appris qu'au IIe siècle avant J.-C., l'Arabie du Sud, parvenue à son apogée, envoyait chaque année plus de 3 000 tonnes d'encens à la Grèce et à Rome.

Quelque mille ans auparavant, les Égyptiens utilisaient ce « parfum des dieux » à des fins exclusivement rituelles.

Son père lui avait aussi raconté qu'Hérodote, historien grec, avait écrit en 450 avant J.-C. : « Les parfums d'Arabie embaument le pays tout entier, et je ne connais rien de plus doux, rien de plus merveilleux. »

C'est à la nuit tombée que la jeune Médina entra dans la ville de Qana qui avait bien changé. C'était une ville calme et sans grande importance. Au Moyen Age, une petite ville avait détrôné Qana dans le commerce de l'encens. Il s'agissait du port principal de la région d'Hadramaout.

Aujourd'hui, les bateaux de bois de l'époque avaient disparu et avec eux certaines scènes typiques du port.

La jeune Médina regrettait de ne pas avoir connu ces débardeurs transpirant qui empilaient en jurant les sacs d'encens sur les gros pavés du port. Elle regrettait aussi la foule remuante des jeunes soldats piétinant les quais. Où étaient passés les changeurs ? Qu'étaient devenus ces hommes virils aux beaux visages barbouillés de graisse ?

Personne ne prêtait attention à Médina qui maintenant traversait des ruelles longeant les blanches bâtisses de la ville. Elle arriva près de la mosquée dans laquelle elle pénétra juchée sur son dromadaire. Un homme à moitié endormi traînait, pieds nus, le long d'un petit escalier. Apercevant la jeune femme, il se précipita afin de l'aider à descendre de sa monture.

La jeune Médina se précipita alors vers l'escalier et emprunta le long corridor qu'elle connaissait bien. Au bout de celui-ci se trouvait une petite porte de bois sculpté qu'elle poussa sans hésiter.

Ainsi qu'elle l'avait imaginé, Salem Mahana était là, assis en tailleur au milieu d'un amoncellement de coussins brodés, de bibelots et d'objets de toutes sortes, fumant tranquillement son narguilé. Quelle ne fut pas sa surprise alors de voir, debout devant lui, la fille de son meilleur ami.

— Comme je suis heureux de vous voir, mon enfant !

A ces mots, Médina se courba et vint prendre place aux côtés de son ami.

Avant même de parler, elle se mit à son aise, retirant l'épais burnous qui lui avait permis jusque-là de dissimuler son corps de femme, et se débarrassant de la capuche de laine qui emprisonnait ses longs cheveux dorés.

Auprès de Salem Mahana, elle n'avait plus de raisons de se faire passer pour un homme. Elle avait de beaux yeux que le khôl traditionnel soulignait mystérieusement. Sa peau rendue plus foncée par le henné parachevait cette apparence d'Arabe qu'elle avait dû se donner afin de traverser le pays en toute discrétion.

Depuis son arrivée, la jeune femme était restée silencieuse, ce qui attira l'attention de Salem Mahana :

— Comment allez-vous, ma chère enfant ? Et où est donc votre charmant père ?

A cette question, le regard de Médina se troubla et Salem demanda avec beaucoup de douceur :

— Que s'est-il passé, mon enfant ?

— Papa... papa est..

— Qu'est-il arrivé à votre père ?

— Papa... est mort à Marib... articula la jeune femme avec peine.

— Mais comment cela s'est-il passé ?

— Il savait que son cœur était très faible... mais notre départ était tellement important...

— Ah ! je me souviens... votre père était un homme passionné... curieux et tellement impatient pour tout.

— Je suis si heureuse d'être auprès de vous, son meilleur ami. J'ai tant souffert à sa mort...

Médina s'effondra en larmes. Quelques minutes passèrent et Salem demanda avec beaucoup de délicatesse :

— Maintenant, racontez-moi, comment cela est-il arrivé, ma pauvre enfant ?

— Eh bien, un soir nous avions décidé de sortir nous promener sous les étoiles... Le pauvre n'a pas eu le temps de faire trois pas qu'il s'est écroulé... il est mort sur le coup. C'est sans doute mieux ainsi... pauvre petit papa...

— Oui, c'est mieux ainsi, il n'a pas souffert. Votre père était un homme charmant qui va beaucoup nous manquer.

— Dites, comment vais-je pouvoir vivre sans lui ? s'écria la jeune femme, semblable à une petite fille accablée de douleur.

— Allons, allons, courage, mon enfant, je suis là et je vais vous aider.

— Je suis venue vers vous car mon père vous estimait beaucoup. Vous êtes le seul qui puisse m'aider, j'en suis sûre.

— Pensez-vous retourner chez vous, en Angleterre ?

— J'y ai pensé, mais il me faudra un courage énorme et j'ai bien peur que l'épreuve soit au-dessus de mes forces !

— Vous devez pourtant avoir là-bas de bonnes relations, des amis de confiance...

— Nous avons, en effet, quelques relations, toutes plus insignifiantes les unes que les autres... Quant aux amis, nous n'en avons pas.

La pauvre Médina se mit de nouveau à sangloter, mettant dans l'embarras son ami Salem.

— Comment ?... Comment trouverai-je la force d'affronter tous ces gens... Ils étaient tous si en colère contre papa lorsqu'il leur fit part de son intention de m'emmener avec lui dans son grand voyage... Si je rentre en Angleterre, ils seront bien trop contents de pouvoir l'accabler... Je ne pourrai pas supporter cela... Papa était un être si bon...

— Je comprends, dit simplement Salem qui essayait de trouver une autre solution que ce retour parmi des gens si peu compréhensifs.

Il fumait sa pipe à eau et cela faisait un petit bruit qui ressemblait à un gargouillement.

— Comprenez, Salem, retourner à la maison serait une épreuve trop cruelle... Je préfère rester dans ce pays que mon père a tant aimé... sur cette terre où maintenant il repose...

— Je comprends, je comprends.

— Je serais si heureuse de pouvoir travailler pour vous, je me travestirais comme je l'ai fait jusque-là... Ainsi personne ne saurait jamais que je suis une femme, dit la jeune fille qui sembla triste, soudain.

— Vous paraissez le regretter... mais il est peut-être temps de mettre fin à ces simagrées. Vous êtes fort séduisante et votre père m'a toujours parlé de vous en des termes élogieux. Alors pourquoi ne pas penser à vous marier, ma petite ?

— Ça jamais ! protesta Médina.

— Et pourquoi pas ! ironisa Salem.

— Figurez-vous que je n'ai aucune envie de devenir une petite femme modèle... dans l'ombre de son mari, toute résignée... je n'ai aucune envie non plus de me retrouver perdue dans un coin de l'Angleterre, triste à mourir. Comprenez-moi. Avec papa, la vie était tout autre... Il y avait toujours quelque chose à découvrir, tout était merveilleux, tout était surprenant. Nous n'avions jamais le temps de nous ennuyer...

Salem écoutait sans mot dire. La jeune femme emportée par sa verve poursuivit :

— Oh ! Salem ! je n'aurai jamais la force de rentrer seule sans papa...

De grosses larmes vinrent rouler sur ses joues qu'elle s'empressa d'essuyer de sa main d'enfant.

— Ma petite Médina, il faut faire confiance à Allah. Cependant, j'ai pour ma part une proposition à vous faire...

— Une proposition ? interrogea Médina surprise.

Puis elle ne put retenir les grosses larmes qui de nouveau coulèrent sur ses joues tant l'émotion était grande.

Cette fois, elle se laissa aller, se disant que Salem était un véritable ami et qu'elle ne devait pas avoir honte de son comportement enfantin. Elle voulait désormais considérer cet homme comme son père et espérait que celui-ci verrait bientôt en elle une fille.

Dix ans plus tôt, alors qu'il venait d'enterrer sa femme, le professeur Edmund Tewin avait quitté le domicile familial accompagné de sa petite fille Médina âgée de huit ans. Cette idée d'emmener avec lui sa fille avait fait scandale. En effet, le vieil homme avait décidé que celle-ci le suivrait partout dans ses voyages les plus difficiles.

C'était d'ailleurs ainsi qu'ils avaient vécu, lui et sa femme, tout au long de leur mariage. Leurs familles respectives en avaient été fort choquées. Mais le couple n'avait pas tenu compte de toutes les remontrances qu'on avait pu lui faire, préférant une vie palpitante à une vie bien rangée. En fait, Edmund Tewin et Elisabeth, sa femme, menaient une vie de bohème qui les rendait très heureux.

Il s'en était fallu de peu qu'Elisabeth épousât le fils d'un lord-lieutenant. Son père avait tout arrangé quand Edmund Tewin avait fait son apparition dans la vie de la jeune femme. Il était le prince charmant de ses rêves de jeune fille, celui qui la rendrait heureuse.

Edmund Tewin était alors réputé pour être un écrivain de talent. Il avait déjà écrit plusieurs ouvrages sur ses voyages en Arabie.

C'était un homme qui ne pensait qu'à ses livres et à ses nombreux voyages tous plus palpitants les uns que les autres. Jusqu'au jour où il rencontra celle qui lui fit comprendre qu'ils étaient faits l'un pour l'autre. Ils se marièrent et s'en allèrent aussitôt passer leur lune de miel en Arabie.

Le pays était encore méconnu, hostile aux étrangers. Ce voyage aurait découragé n'importe quelle jeune femme bien élevée. Mais Elisabeth, elle, adora.

Elle préférait de loin le danger auprès d'un homme comme Edmund à une vie confortable et luxueuse à la cour. D'ailleurs, les épreuves de la vie les rapprochèrent et les rendirent encore plus amoureux l'un de l'autre.

La naissance de leur fille Médina les avait décidés à trouver un domicile fixe. Du moins pendant quelque temps.

Lorsqu'ils rentrèrent chez eux après avoir exploré le Soudan, Elisabeth fut la proie d'un mal étrange. Aucun médecin en Angleterre né fut capable de se prononcer sur la maladie. La pauvre femme dépérissait de jour en jour. Seul son regard restait le même, rempli d'amour pour son mari. Hélas, elle mourut rapidement, laissant Edmund accablé de chagrin, seul avec la petite fille.

Très vite Edmund voulut fuir leur maison qui ne représentait plus qu'une horrible prison. Il fallait faire vite, au risque de le regretter plus tard. Il fallait partir avec la petite

Médina, malgré les commentaires décourageants des uns et des autres.

Edmund et sa fille étaient donc partis trois jours après les funérailles, laissant derrière eux les mauvaises langues se déchaîner.

La petite avait été baptisée Médina parce que son père était fasciné par la ville de Médine, en Arabie. Il n'avait jamais vraiment su pourquoi. Cette ville était merveilleuse et tellement mystérieuse aussi. C'était le seul endroit au monde où Edmund avait l'impression de toucher les étoiles. Là, il se sentait en paix avec lui-même. Exactement comme auprès de sa fille.

En appelant son enfant Médina, Edmund avait choqué plus d'un de ses amis anglais. Le prénom était bien trop païen.

Médina, comme sa mère l'avait été, se sentait très heureuse de voyager auprès d'un homme aussi passionnant que son père. Il lui enseignait tout ce qu'il savait. Il lui avait même appris à parler l'arabe.

La jeune fille avait très vite préféré voyager déguisée en homme, afin de prendre le moins de risques possible. Et puis l'aventure n'en était que plus exaltante !

Plutôt que de cacher son fin visage, elle avait attaché ses longs cheveux dorés à l'aide d'un petit filet bien serré qu'une capuche de laine recouvrait en permanence.

Seul Salem, le meilleur ami d'Edmund, connaissait sa véritable identité. Les deux hommes se voyaient souvent et la petite fille avait grandi en leur compagnie.

Maintenant, la jeune Médina pleurait à chaudes larmes. Salem avait du mal à supporter ce chagrin, aussi dit-il de sa voix la plus douce :

— Le plus sage pour vous serait sans doute de rentrer en Angleterre, mais je sens bien que vous n'êtes pas prête, aussi j'ai quelque chose à vous proposer...

Médina leva alors sur lui ses grands yeux mouillés. Salem tira sur sa pipe à eau une dernière fois puis précisa sa pensée :

— Aujourd'hui, j'ai eu la visite d'un lord anglais, envoyé par M. Burton.

Médina eut alors une lueur d'espoir dans les yeux.

Elle était vraiment très jolie avec son petit nez fin et ses yeux charbonneux. En la regardant ainsi souriante, Salem ne put s'empêcher de penser que plus d'un homme aurait été séduit et aurait eu envie de la demander en mariage.

— Que voulait cet homme ? demanda la jeune fille qui ne se doutait pas des pensées de Salem à ce moment précis.

— Figurez-vous que ce lord anglais a fait tout ce chemin car il est à la recherche d'un guide qui le mènerait à La Mecque.

— A La Mecque ! sursauta Médina.

— Oui, et Richard Burton me l'a envoyé afin que je lui trouve un guide de confiance...

— Êtes-vous sûr que cet homme vous dit la vérité ?

— Je sens que cet homme est honnête...

Salem Mahana avait une étonnante faculté à percevoir les êtres dans leur plus profonde intimité. D'ailleurs, combien de personnes étaient déjà venues lui demander des services qu'il s'était empressé de rendre de son mieux, tant il avait senti sincères ses visiteurs.

— Et pourquoi donc vouloir se rendre à La Mecque ?

— Je vous ai dit tout à l'heure que j'avais senti que cet homme était honnête, il m'a dit avoir fait un pari avec des amis en Angleterre... Je sens qu'il dit la vérité, mais je sens aussi que c'est bien plus que cela...

— Que voulez-vous insinuer ?

— Je sens qu'il y a quelque chose derrière ce pari... Cet homme a fait tout ce chemin pour fuir quelqu'un. Si vous voulez mon avis, c'est d'une femme qu'il s'agit.

— Rien de bien étonnant à cela ! se contenta de dire Médina.

— Il se cache de cette femme qui le persécutait. Il a préféré faire ce pari qu'aucun homme n'aurait osé tenter plutôt que de se laisser envahir par cette femme... voilà ce que je sens...

— Vous souvenez-vous, Salem, de cet homme qui a trouvé la mort il y a deux ans, dans des circonstances terribles ?

Médina avait parlé sur un ton tragique. Elle

avait appris la nouvelle par des chameliers qui avaient assisté à la scène. Un homme, un inconscient, avait voulu lui aussi violer La Mecque. Hélas pour lui, il s'était fait prendre et on lui avait infligé d'horribles tortures auxquelles il n'avait pas résisté.

La jeune fille avait été très marquée par une telle violence. Encore aujourd'hui elle en avait la chair de poule.

— J'espère, Salem, que vous avez l'intention de décourager ce pauvre homme... il faut absolument le dissuader de se rendre à La Mecque...

— Eh bien, ma chère enfant, sachez que je vous en laisse le soin.

— Moi ? Mais pourquoi moi ? s'étonna Médina.

— Je veux dire par là que je vous fais confiance pour prendre soin de cet homme. Il cherche un bon guide sur lequel il puisse compter. Je crois que vous pouvez faire l'affaire, dit Salem sur un ton fermement convaincu.

— Moi ?... être son guide ?... L'accompagner à La Mecque ? bredouilla la jeune femme.

— Oui, vous. Je ne vois personne d'autre à qui je puisse confier une telle mission, Médina. Je connais votre résistance, votre amour de la découverte, votre discrétion. Le chemin est long jusqu'à la Cité interdite... et combien de merveilles sur la route... Cela ne vous tente donc pas ? demanda Salem, malicieux.

La jeune femme ne put alors s'empêcher de sauter de joie à la perspective d'une aventure nouvelle.

— Oh Salem! Vous êtes extraordinaire! Vous avez raison, je connais les dangers, et je suis résistante, auprès de moi cet homme sera en sécurité. Je sais que papa me verra de là où il est, et je veux qu'il soit fier de sa fille.

Médina s'interrompit quelques secondes. Elle pensait à son père et à ce bonheur qu'il lui avait fait partager. Puis elle se ressaisit et dit sur un ton faussement convaincu:

— Au fond, mieux vaut que cet homme profite de mes services plutôt qu'il ne s'y rende seul. Le pauvre serait la proie de trop de dangers...

Salem qui comprenait où voulait en venir la jeune fille ne put s'empêcher de sourire et dit:

— Ainsi donc, ma chère, je peux compter sur vous?

— Vous pouvez compter sur mon expérience! Mais quand ferai-je la connaissance de ce lord anglais?

— En attendant, il vous faut prendre des forces et songer à vous reposer. Une chambre est à votre disposition. Je vais vous faire porter de quoi vous ravitailler.

— Oui, je suis fatiguée ce soir. Papa doit être très heureux de voir que je peux compter sur vous, Salem.

— Dites-vous que votre père repose en paix maintenant, et qu'Allah veille sur lui. Ne vous tourmentez plus, reposez-vous, une aventure nouvelle vous attend. Bientôt, je vous présenterai ce lord anglais... Bonne nuit, ma chère enfant, dormez bien.

— Merci, Salem, merci mille fois, dit Médina en se courbant avant de se retirer.

Une fois la jeune femme sortie, Salem se laissa aller parmi les énormes coussins brodés qui l'entouraient. Tirant doucement sur son narguilé, les yeux perdus dans le vague, il dit alors comme pour lui-même :

— Qu'Allah te protège, mon enfant !

3

Lorsque le marquis prit congé de Richard Burton, il se rendit directement à la plus grande librairie du Caire. Là, il acheta sans hésiter tous les ouvrages qui traitaient de l'Arabie. La plupart d'entre eux étaient écrits en allemand ou en français, langues que, fort heureusement pour lui, il maîtrisait parfaitement.

Dès qu'il fut dehors, le marquis se dirigea vers l'ambassade de Grande-Bretagne. Il lui fallait trouver à tout prix un professeur d'arabe. Celui-ci devrait l'accompagner dans sa croisière sur la mer Rouge.

Après les quelques politesses d'usage, le

jeune marquis informa le secrétaire de l'ambassade de son départ prochain pour l'Arabie.

— Je compte faire une première escale à Port-Soudan, dit-il.

— Je vais faire mon possible pour vous rendre service, annonça le secrétaire avant de disparaître.

Puis quelques minutes après, il revint, radieux :

— Nous disposons, mon cher, d'un membre de notre personnel qui doit prendre son congé dans un mois. Il est originaire d'Oman et compte s'y installer dès qu'il sera libéré de ses fonctions. Il sera ravi de partir un mois plus tôt, j'en suis certain...

Le marquis n'en revenait pas d'une telle chance. Une fois de plus, les événements semblaient tourner en sa faveur.

— De plus, poursuivit le secrétaire, je suis persuadé que sur un yacht tel que le vôtre, aussi luxueux et confortable, la croisière sera des plus exceptionnelles... Notre homme va être ravi !

Peu de temps après, on présenta à Virgil le jeune homme en question. Du peu qu'il put en juger, le marquis le trouva fort érudit et il lui sembla être l'homme idéal pour une telle circonstance.

Le jeune Arabe fit ses bagages à la hâte. Pendant ce temps, le marquis envoya un câble à Burton afin de lui faire parvenir son adresse au consulat d'Aden où il savait qu'il était possible de garder contact. Ce qui n'était pas toujours le cas ailleurs. Mais le sud de l'Arabie était l'un des endroits les mieux organisés et les plus sûrs de ce pays.

Le soir, Virgil dîna avec l'ambassadeur. Celui-ci parla de l'Arabie qu'il connaissait fort bien. Le jeune Britannique était impatient de se lancer dans l'aventure.

Dès qu'il se trouva à bord de son yacht, le marquis exigea sa première leçon d'arabe. A sa grande joie, il trouva la langue plutôt facile. L'*Épervier des mers* traversait alors le canal de Suez qui avait été ouvert une dizaine d'années plus tôt. Puis il descendit la mer Rouge.

Le marquis s'appliquait à ne rien laisser percevoir de son intérêt pour La Mecque. Son professeur ne devait pas être mêlé à son aventure prochaine. Seul le guide que Salem Mahana lui procurerait serait tenu au courant de l'affaire.

Au cours de la traversée, non seulement il apprenait l'arabe, mais il s'informait également des coutumes locales. Dès qu'il se sentirait suffisamment à l'aise avec la langue du pays, il n'aurait plus besoin de son professeur qu'il libérerait alors sur-le-champ.

Parallèlement, il se passionnait pour le livre que lui avait offert Richard Burton quelques jours auparavant. Il n'avait désormais qu'un seul but: celui de recueillir par tous les moyens le maximum d'informations sur le commerce de l'encens.

Lors de ses lectures, il apprit, entre autres choses, que les Romains utilisaient l'encens pour la crémation des morts. Néron en avait utilisé en abondance, disait-on, lors des funérailles de Poppée, sa seconde femme.

Plus il en apprenait sur le commerce de l'encens, plus il était déterminé à atteindre La Mecque. Il savait que cet engouement subit pour une telle aventure était le seul moyen pour lui d'échapper à cette tigresse d'Hester, mais il sentait aussi confusément en lui quelque chose de plus profond. C'était comme si ce périple lui était soudain devenu indispensable pour se sentir un homme, un vrai. Il avait quelque chose à se prouver.

Virgil profita de cette croisière pour faire le point en lui. Les années avaient passé sans que jamais il n'ait eu le temps ni le courage de se remettre en question.

Il se mit alors à penser à son ami Rupert. Ce dernier avait toujours été très sincère avec lui. Combien de fois l'avait-il mis en garde contre toutes ces femmes qu'il fréquentait.

Selon lui, et Virgil se rendait compte aujourd'hui combien il avait eu raison, ces belles élégantes ne pensaient finalement qu'à le séduire et étaient bien incapables d'un soutien moral. Combien de fois lui avait il répété qu'il perdait son temps auprès de telles aguicheuses. Son temps et surtout son argent !

Virgil réalisait pour la première fois de sa vie les sommes folles qu'il avait dépensées sans compter pour ces créatures futiles. Il regrettait maintenant, terriblement.

Puis, comme si cela ne suffisait pas, il se mit à penser à Hester. Il ne voulait pas de son bâtard ! Jamais ! La colère peu à peu le gagnait : « Comment ai-je pu croire un seul instant que malgré notre rupture elle resterait bien intentionnée à mon égard ? »

Il se disait que ni Hester ni aucune autre ne le retiendrait jamais. Ses parents l'avaient de nombreuses fois présenté à de jolies jeunes filles qui auraient été ravies de devenir marquise d'Anglestone. Avec elles, il le savait, il se serait ennuyé à mourir.

Le marquis connaissait bien les règles propres aux familles aristocratiques. Le fils héritier était le mieux placé ; pour lui, on ne comptait pas l'argent. Les autres étaient envoyés dans des écoles publiques puis à l'université.

Quant aux filles, considérées comme sans importance, on confiait leur éducation à une gouvernante qui en savait à peine plus long que leurs petites protégées ! Ce qui donnait ensuite de belles et élégantes femmes... totalement dépourvues du moindre raisonnement ! Virgil connaissait bien ce problème pour l'avoir rencontré maintes fois.

« La conversation de ces femmes est à la hauteur des *boudoirs*[1] qu'elles fréquentent ! »,

---

1. En français dans le texte.

se dit-il furieux. Aussi, la chose était entendue : il ne se marierait jamais.

Combien de fois avait-il fréquenté des femmes mariées, au risque d'être surpris par le mari ! Pour une chose pareille, il aurait pu en d'autres temps être provoqué en duel. Encore que se battre en duel lui semblât moins épouvantable que d'avoir à épouser Hester !

« Maudite femme que celle-ci, se dit-il, maudites soient-elles toutes ! »

Le jeune homme calma bientôt sa colère en feuilletant le livre de Burton. Quelque chose de spirituel en émanait qui lui fit un bien immense. Il s'intéressa également à un ouvrage qui traitait de la mort chez les Égyptiens. Ceux-ci utilisaient l'encens afin d'assurer le salut du défunt dans l'après-vie.

Peu à peu, Virgil découvrait un monde qui lui était jusqu'alors demeuré inconnu. Maintenant il savait que lorsqu'il entrerait dans une église catholique, le parfum de l'encens aurait pour lui un sens nouveau.

Les jours passaient et le jeune marquis progressait dans son apprentissage de l'arabe.

Ils approchaient du port de Qana. Virgil finit par se séparer de son charmant professeur après lui avoir versé une forte somme d'argent. Puis une fois à terre, il se mit à la recherche de Salem Mahana.

Le jeune Anglais se sentait ému en arpentant

la ruelle étroite et sombre dans laquelle il s'était engouffré. Bientôt il serait dans la maison de Salem Mahana.

Les visiteurs à Qana étaient rares, aussi Virgil était-il la proie de tous les regards.

Salem Mahana le reçut chaleureusement. Virgil le trouva différent des Arabes qu'il avait pu rencontrer dans sa vie. Il lui sembla être un homme autoritaire mais généreux. Il était de ceux qui imposaient le respect.

C'était un être magnétique, qui dégageait quelque chose d'irréel. Cet homme n'hésitait pas à aider ceux qui venaient le voir, à les tirer d'affaire lorsque c'était nécessaire. Il allait jusqu'à leur procurer des déguisements lorsque ceux-ci devaient passer inaperçus.

Et tout cela il le faisait, persuadé d'agir sous le commandement d'Allah. Du moins c'est ce que Burton avait raconté à Virgil lors de leur rencontre à l'hôtel.

Salem Mahana avait donc accueilli le marquis avec toute l'hospitalité des gens de son pays.

Ce n'est que dans un second temps qu'il lui demanda qui il était et quel était l'objet de sa visite. Le jeune marquis lui dit être envoyé par Richard Burton et lui raconta en toute confiance le pari qu'il avait fait avec ses amis en Angleterre.

Aussitôt, une grande sympathie lia les deux hommes. Salem, pris au dépourvu, promit à

Virgil de lui trouver un guide digne de ce nom. Il avait seulement besoin de quelques jours.

Il lui expliqua que, dans un pays comme l'Arabie, il ne fallait jamais être pressé. Cela fit sourire le jeune marquis. Salem Mahana, cependant, essaya de dissuader son visiteur, évoquant les mille dangers et risques qui l'attendaient. Rien n'y fit; Virgil était bien décidé à partir pour La Mecque dès qu'il aurait un guide de confiance et un déguisement d'Arabe.

Les deux hommes prirent congé l'un de l'autre. Le marquis retourna sur son yacht en attendant le moment de sa prochaine visite. Il lui fallait laisser passer quelques jours...

Lorsque Virgil retourna voir Salem, le surlendemain, ce dernier le reçut avec autant de plaisir que la première fois.

Les deux hommes s'installèrent dans le petit salon tapissé de soie. Assis en tailleur sur un immense tapis persan, ils burent le thé traditionnel dans de curieux petits verres peints. Les deux amis parlèrent de tout et de rien, puis, impatient, Virgil finit par demander:

— Dites-moi, Salem, et ce guide?

Salem le regarda alors avec malice, faisant ainsi durer le plaisir...

Puis, après quelques secondes, il dit:

— Figurez-vous, mon cher, que non seulement je vous ai trouvé un guide, mais sans aucun doute le meilleur qui soit de toute l'Arabie !

Le marquis, radieux, se disait que, décidément, cette façon de parler en exagérant tout lui plaisait bien. Il savait que c'était là une habitude des pays orientaux.

— Et quel âge a ce guide ? demanda Virgil ravi.

— Il est jeune mais Allah lui a donné le cerveau d'un homme mûr.

— J'ai hâte de faire sa connaissance. Quand pensez-vous que je pourrai le rencontrer ?

— Ali Murad, c'est son nom, est dans la pièce voisine. Il est fils de cheik. A ce titre, toutes les portes lui sont ouvertes. Vous pouvez lui faire confiance, c'est un jeune homme d'une rare valeur. Vous ne tarderez pas à vous en rendre compte...

Salem se dirigea alors vers une petite porte qu'il ouvrit. Puis il appela :

— Ali ! Ali !

Virgil avait hâte de voir à quoi ressemblait ce jeune guide qu'on venait ainsi de flatter...

C'est alors que Médina fit son entrée dans le salon. Elle était méconnaissable sous cet accoutrement de jeune Arabe. Son père lui-même ne l'aurait pas reconnue.

Salem lui avait procuré un long burnous blanc qui avait appartenu à un cheik. Elle portait également une chemise de soie et un poignard incrusté de pierres précieuses selon la tradition. Son pantalon brodé venait d'un des meilleurs artisans de Constantinople. Médina avait souri en se regardant ainsi déguisée dans le miroir.

Elle avança, sûre d'elle, vers le marquis, puis tous deux se courbèrent selon la tradition orientale.

— Voici votre guide, mon cher, se crut obligé de dire Salem... Ali, voici lord Anglestone...

— Parfait, dit le jeune marquis.

— Ali va se mettre à la recherche d'une caravane, il sait où se trouvent les meilleurs chameaux et quels sont les chameliers de confiance.

Salem s'interrompit un instant puis ajouta :

— Vous comprenez, personne ne doit savoir qui vous êtes exactement, pas même les chameliers ! Votre yacht doit d'ailleurs quitter Qana au plus vite et jeter l'ancre au large de la première île qui doit se trouver à peu près à trois kilomètres d'ici. Quant à vous, vous serez mon invité et ma maison vous est grande ouverte.

— Je ne sais comment vous remercier, mon cher. Mais dites-moi, qui suis-je donc supposé être ? demanda-t-il avec un sourire complice.

— Eh bien, vous vous ferez passer pour un ami d'Ali, un marchand d'encens et de myrrhe... un acheteur est censé vous attendre à Médine...

Le marquis écoutait avec attention. Salem poursuivit :

— Soyez tranquille, vous êtes entre de bonnes mains... Ali est un garçon formidable.

Le jeune guide eut un sourire timide.

— Vous prendrez la route de l'encens, vieille de plusieurs siècles. Le chemin sera long...

— Il y a tant de merveilles à découvrir en chemin... ajouta, rêveuse, la jeune fille.

C'était la première fois qu'elle parlait. Aussi elle avait pris soin de prononcer ces paroles d'une voix grave.

— Maintenant, conseilla Salem, il vous faudrait retourner à votre yacht afin de récupérer vos malles... vous vous ferez aider de Nur...

— Qui est Nur ? interrompit Virgil, étonné.

— Nur vous accompagnera dans cette expédition, j'ai oublié de vous en parler. Il est le domestique attitré d'Ali. C'est lui qui vous habillera, il fera la cuisine et vous obéira pour tout sans problème.

— Je comprends, dit simplement Virgil.

— N'oubliez jamais, mon cher, que vous êtes désormais un Arabe. Ne vous trahissez jamais ! Veillez-y à chaque instant !

— C'est une chance que vos cheveux soient si foncés, ajouta Médina, quant à votre peau, un peu de henné et le tour sera joué !

Salem se mit à rire de bon cœur.

— Ali a raison, vous devez être assimilé à un Arabe dans le moindre détail... votre comportement, votre façon de parler... il ne faut surtout pas éveiller les soupçons...

— Parlez-vous l'arabe ? demanda Médina.

— J'ai pris quelques cours lors de ma traversée, mais je sens bien que je suis loin de maîtriser votre très belle langue.

Médina était ravie de cette nouvelle, elle n'en attendait pas tant. Elle se dit que le marquis était un homme intelligent et curieux et il lui fit l'impression d'être fort sympathique.

Elle avait été agréablement surprise par cet homme à l'allure séduisante, cela dès les premières secondes passées en sa compagnie.

Le jeune Anglais lui sembla en outre être un homme simple et authentique. Elle avait craint qu'il soit prétentieux et autoritaire comme c'était souvent le cas des Anglais que lui avait autrefois décrits son père. Ce dernier lui avait dépeint ses compatriotes comme étant étroits d'esprit et terriblement ennuyeux.

Médina était persuadée que le marquis, en cherchant à atteindre La Mecque, voulait obtenir autre chose que la gloire. Elle sentait en lui une préoccupation plus spirituelle.

Elle vint s'asseoir à ses côtés, amicalement, et ne put s'empêcher de lui demander :

— Que cherchez-vous, monsieur le marquis ?

Virgil avait le choix des réponses, pourtant, ainsi que l'aurait fait le père de Médina, il dit sereinement :

— Je suis à la recherche de l'illumination.

La jeune femme fut émue d'une telle confidence.

— Et si vous deviez être déçu ? demanda-t-elle, hésitante.

— Je suis prêt en tout cas à faire preuve d'humilité, je veux apprendre et à vos côtés je serai un élève docile.

A ces mots, Salem ne put s'empêcher d'applaudir :

— Bien ! Bien ! Ce que vous venez de dire est tout à fait formidable.

— Je suis prêt à vous suivre en toute confiance, ajouta alors Virgil en arabe.

— Vous semblez vous débrouiller en ce qui concerne notre langue.

— J'ai eu un très bon professeur...

— Ali lui succédera...

Ils bavardèrent ainsi encore quelques instants puis vint le moment pour le marquis et son guide de rejoindre le yacht.

Lorsque la jeune femme aperçut l'*Épervier des mers*, ce fut une grande joie qui s'éleva en elle. Elle avait souvent rêvé de voyager à bord d'un tel bateau avec son père.

Elle suivit timidement le marquis qui la conduisit dans l'une des cabines. Celle-ci lui fit l'effet d'être très bien décorée, toute tapissée qu'elle était de tissu vert mousse.

Elle s'installa, ainsi que le marquis l'invita à le faire, dans l'un des fauteuils recouvert de chintz également vert.

Le yacht maintenant faisait route vers la

petite île à laquelle Salem Mahana avait fait allusion un peu plus tôt.

De son fauteuil, Médina contemplait la côte à travers le hublot. Au fur et à mesure que le bateau s'approchait de l'îlot, les maisons et les gens se faisaient de plus en plus rares, jusqu'au moment où on ne vit plus qu'une grande étendue de sable qui s'étalait à perte de vue. Ce paysage désertique était exactement celui auquel Médina rêvait depuis longtemps.

Le bateau ralentit et bientôt on jeta l'ancre.

La jeune fille proposa alors au marquis de manger quelque chose avant de retourner à Qana par la route.

— Ce sera votre dernier repas anglais avant longtemps ! dit-elle amusée.

— N'ayez crainte, je ne suis pas difficile et de toute façon je compte bien m'adapter... (Puis Virgil ajouta :) Votre cuisine n'est pas mauvaise non plus, que je sache ?

— Non, mais nos repas durant l'expédition risquent d'être frugaux...

Médina aurait voulu lui raconter les nombreuses découvertes culinaires que son père et elle avaient faites, mais elle n'osa pas.

— Vous avez raison, nous allons manger quelque chose avant de prendre la route.

Il demanda alors que le dîner fût servi dans le salon.

Ils dînèrent à la nuit tombée et ce fut un grand plaisir pour Médina de déguster après tant d'années des plats typiquement anglais. Elle appréciait en silence chaque bouchée.

Le jeune marquis ne tarda pas à reprendre la conversation :

— Je trouve extraordinaire qu'un garçon aussi jeune que vous soit déjà l'objet de tant d'admiration de la part de Salem Mahana... Comment expliquez-vous cela ?

— Ce serait trop long à vous raconter... dit Médina de manière évasive.

Puis, terriblement embarrassée, elle fit mine de s'intéresser à la bibliothèque du salon :

— Combien de livres ! dit-elle admirative. C'est fabuleux !

— N'est-ce pas ? L'un d'eux d'ailleurs m'a été offert par l'extraordinaire Richard Burton.

— Je suis un fervent lecteur de M. Burton, dit Médina. Mais de quel livre s'agit-il ?

— Ce livre est l'œuvre d'un homme que j'aimerais beaucoup rencontrer lors de mon séjour en Arabie. Il a pour titre *Le Parfum des dieux*... et son auteur se nomme Edmund Tewin : il s'agit du professeur Tewin...

— Je vois... je... connais ce livre... bredouilla Médina, au comble de l'embarras.

— Comment ? Mais vous lisez l'anglais ? interrogea le jeune marquis fort surpris.

— Euh... oui... Enfin, un peu...

— Alors il me sera plus facile d'en parler, dit Virgil, c'est un des livres les plus passionnants que j'aie lus jusqu'à présent.

La jeune femme partageait ce point de vue. Elle se souvenait combien son pauvre père avait été fier de cet ouvrage.

Soudain, le marquis s'inquiéta de l'heure qu'il était et demanda à Médina :

— Ne pensez-vous pas qu'il serait préférable de nous changer maintenant ?

Médina sentit dans la voix du jeune homme une légère anxiété. Elle se dit que la perspective d'une telle expédition devait commencer à le tracasser. Dans très peu de temps, il allait devoir quitter son bateau, avec tout ce que cela pouvait représenter...

Médina eut envie de le rassurer et dit :

— Nur doit vous attendre comme convenu dans votre cabine. Il va s'occuper de vous. Il sait exactement ce qu'il doit faire, laissez-vous aller... et soyez gentil de me l'envoyer dès qu'il en aura terminé avec votre déguisement.

— En quoi vais-je être transformé ? demanda le marquis, quelque peu inquiet.

— Vous allez prendre l'apparence d'un homme qui répondra au nom d'Abdul Murid, vous serez moitié arabe, moitié pathans[1]. Richard Burton avait un faible pour ce déguisement-là...

— Eh bien, espérons qu'il me portera chance, se contenta de dire le marquis.

1. Ou *pachtos*. Ethnie très importante vivant au Pakistan et en Afghanistan. (*N.d.T.*)

— Allah nous protège ! dit Médina en levant les bras au ciel.

Sur ces bonnes paroles, la jeune fille retourna à sa cabine et attendit que Nur la rejoigne.

La cabine qui lui avait été attribuée lui parut fort jolie. Il y avait dans un coin une table de toilette qui ne manqua pas d'éveiller ses soupçons. Elle imagina les élégantes qui avaient dû s'y asseoir... toutes plus belles les unes que les autres, parées des bijoux les plus extraordinaires, dans leurs robes de soirée...

Alors qu'elle faisait défiler dans sa tête les femmes les plus irrésistibles, Médina se surprit à penser qu'elle les détestait toutes autant qu'elles étaient. Puis elle se dit qu'elle était bien contente de ne pas avoir à vivre une vie mondaine qui aurait été pour elle mortellement ennuyeuse.

Elle se rappela combien son père lui-même lui avait dit avoir souffert autrefois lors de ces soirées où les gens ne pensaient qu'à se dénigrer les uns les autres, où tout n'était que convenances et hypocrisie ! Certains avaient même poussé l'incorrection, un soir, jusqu'à mépriser ouvertement sa manière de vivre !

« Jamais je ne pourrai retourner en Angleterre ! » se dit-elle alors en soupirant. Et elle remercia le ciel de pouvoir vivre sa vie de jeune guide arabe dans un pays aussi merveilleux que l'était l'Arabie.

Comme elle se sentait heureuse à cet instant précis !

Médina était toujours noyée dans ses pensées quand la porte de sa cabine s'ouvrit. C'était Nur qui entrait.

— Où en est le marquis ? demanda-t-elle.

— Il est prêt, Maîtresse.

Nur était un Arabe d'une cinquantaine d'années. Il faisait partie du quotidien de la jeune Médina, ayant été leur serviteur depuis le début de son arrivée avec son père dans le pays. Il était le conseiller de la jeune fille, celui sur lequel elle comptait plus que jamais maintenant que son père ne faisait plus partie de ce monde.

Avec son aide, Médina enfila un burnous qui lui descendait jusqu'aux pieds. Puis, enfin prête à son tour, elle alla rejoindre le marquis.

Celui-ci se tenait debout devant un grand miroir, admirant le travail de Nur. Ce dernier avait pris soin de foncer la couleur de sa peau avec une couche de henné et de souligner ses cils de khôl.

Médina le trouva fort séduisant dans sa nouvelle tenue, mais elle dut s'efforcer de n'en rien montrer, évidemment.

— Et maintenant, que faisons-nous ? demanda le marquis qui avait vu arriver la jeune fille dans le miroir.

— Il nous faut regagner la terre au plus vite, nos chevaux nous attendent.

Une barque les emmena alors jusqu'au rivage.

Trois magnifiques chevaux arabes les attendaient en effet, qui leur avaient été envoyés par ce brave Salem Mahana afin qu'ils puissent rentrer par la route.

Alors qu'ils foulaient le sable doux, le jeune Virgil eut l'impression étrange de sortir de la réalité pour entrer dans un rêve infini. Que lui réserverait bientôt cette aventure vers laquelle il allait, confiant ? Bien entendu, cela pouvait aussi bien tourner au cauchemar, à la tragédie, mais en attendant, il était heureux d'évoluer dans ce monde qu'il ne connaissait pas...

Il put constater que le jeune guide était bon cavalier et il se dit qu'un jour peut-être il aurait l'occasion de lui faire visiter ses écuries en Angleterre. Il était déjà très satisfait des services de ce guide arabe d'autant que celui-ci semblait totalement désintéressé par les pourboires... ce qui était rare pour un Oriental.

Les trois hommes juchés sur leurs chevaux se suivaient en silence. Dans le ciel, les étoiles étaient si brillantes qu'il leur était aisé de trouver leur chemin. L'air était frais et le marquis eut le sentiment que cette nuit était magique et qu'il ne l'oublierait jamais.

Ils foulaient le sable que déjà des hommes

et leurs longues caravanes avaient foulé, des siècles auparavant. Pourtant, rien, aucun signe, aucune trace de ces vies humaines ou animales du passé n'avait subsisté.

C'est avec un pincement au cœur que le marquis aperçut soudain les premières lueurs de Qana. Cette randonnée nocturne se terminait, et c'était pour lui comme une révélation : cette nuit, quelque chose l'avait accompagné qui ne le quitterait plus... comme un parfum... d'encens.

Il ne put alors s'empêcher de se retourner vers son jeune guide et, noué par l'émotion, il lui dit tout doucement :

— C'est pour moi le début d'une très grande aventure...

— Je souhaite très sincèrement, dit Médina, également troublée, que cette aventure vous apporte ce que cherche votre cœur.

Elle venait subitement de s'exprimer en anglais, comme malgré elle.

— Je ne sais si mon cœur sera comblé, répondit le jeune homme, un peu rêveur, mais... je garderai l'espoir...

— Qu'Allah nous protège ! s'écria Medina.

— Et s'il nous abandonnait ? dit le jeune Virgil, soudain inquiet.

— Vous n'aurez plus qu'à rentrer en Angleterre ! répondit Médina, faussement désinvolte.

Puis ils reprirent leur chemin, comme si de rien n'était. La ville de Qana maintenant était toute proche...

4

Les trois hommes arrivèrent fatigués de leur voyage de la nuit et c'est avec un grand plaisir qu'ils se reposèrent quelques heures dans les chambres que Salem avait mises à leur disposition.

Le lendemain matin, Nur se précipita chez sa maîtresse pour lui annoncer, ravi :

— Monsieur le marquis a dormi sur le toit cette nuit !

Cela amusa beaucoup la jeune fille. Cet homme était décidément fort sympathique. Elle aimait sa simplicité, son étonnante capacité d'adaptation...

Ce jeune marquis était tout à fait surprenant, il ferait un compagnon idéal pour cette aventure qu'ils allaient vivre ensemble !

Cette matinée commençait bien et c'est avec gaieté que Médina prit le petit déjeuner que Nur vint lui servir. Puis elle s'habilla et alla rejoindre ses amis dans le salon.

Le marquis était seul, occupé à admirer les magnifiques objets qui décoraient la pièce.

— Cet ex-voto est extraordinaire, dit Virgil qui avait vu entrer Médina.

— Moi qui m'attendais à un grand « Salaam ! » de votre part !... dit Médina sur le ton de la plaisanterie, car elle était d'excellente humeur.

Cette réflexion fit d'ailleurs beaucoup rire le jeune Virgil.

— Je suis impardonnable, cher professeur ! répondit, taquin, le marquis.

— Nous plaisantons, mais la chose est sérieuse et vous devez absolument vous mettre dans la peau d'un Arabe au plus tôt. Vous devez pouvoir penser, réagir, parler, vous comporter exactement comme si vous étiez arabe !

Maintenant, le marquis avait retrouvé son sérieux et il ne put que répondre :

— Vous avez raison. J'ai tout à fait compris ce que vous me demandez.

Médina poursuivit alors :

— Si vous voulez pouvoir entrer dans La Mecque sans attirer les soupçons, il faut absolument être capable de vous contrôler. Vous devez savoir qu'une simple erreur de langage peut vous coûter la vie, un geste de trop et vous êtes mort !

Le jeune Virgil eut un frisson d'horreur. Il réalisait tout le danger que comportait effectivement cette aventure.

Salem, à ce moment, entra dans la pièce. Il était radieux, comme à son habitude.

— Bonjour, mes amis! Avez-vous bien dormi?

— Nous sommes en pleine forme, répondit le marquis.

— Tant mieux!

Après une courte hésitation, il poursuivit:

— Il faut que je vous dise... j'espère que cela ne va pas trop vous décevoir... vous allez sans doute devoir rester un peu plus longtemps chez moi étant donné la difficulté que j'ai eue à rassembler pour vous les meilleurs chameliers.

— Aucune importance. Je vais en profiter pour perfectionner mon arabe avec mon nouveau professeur puisqu'il paraît que je manque de bases... dit simplement Virgil, en regardant longuement Médina d'un air tout à fait complice.

— Ce serait effectivement sage à vous de vous perfectionner pendant ce temps-là, approuva gaiement Salem.

— Et si nous commencions à mettre ces bonnes résolutions en pratique dès à présent? demanda Médina amusée.

— Comme vous voudrez, dit Salem qui comptait bien, dans ce cas, les laisser seuls.

— Je suis prêt, dit Virgil.

— Bon, je vous laisse, répondit Salem en se retirant.

La jeune femme entraîna alors le marquis à l'extérieur de la maison.

— Dehors, il fait plus frais, suivez-moi, je

connais un petit coin formidablement agréable où souffle l'air marin...

— Cher professeur, mon sort est entre vos mains, dit Virgil avec tous les gestes typiquement arabes, ce qui ne manqua pas de faire rire son jeune guide.

Les deux jeunes gens s'assirent en tailleur, comme avaient pour habitude de le faire les Arabes.

— Bravo! s'exclama cependant Médina comme pour encourager le marquis qui n'avait pas hésité à prendre la même position que son professeur.

Tous deux parlèrent beaucoup de l'Arabie, pays que Virgil connaissait bien désormais pour avoir lu et retenu le plus possible d'informations dans les livres qu'il avait achetés à l'occasion de son expédition.

Médina fut agréablement surprise du savoir de son élève et de la passion avec laquelle il lui parlait de ce pays.

Ils conversèrent pendant deux bonnes heures. Puis vint le moment où Virgil ne put s'empêcher de demander :

— Êtes-vous déjà allé en Angleterre, Ali ?

Médina, prise au dépourvu, ne put que répondre :

— Oui... j'étais toute petite, alors... tout petit, je veux dire...

— Dites-moi, qu'avez-vous pensé de mon pays ?

— Je vous l'ai dit, j'étais tout jeune...

— Vous avez dû connaître des Anglais depuis. De véritables Anglais, comme ce Richard Burton. Qu'en avez-vous pensé ? insista Virgil.

— Richard Burton ne correspond pas à mon avis à l'Anglais véritable...

— Et pourquoi cela ? interrogea le jeune marquis, intrigué.

— Il a toujours dit que l'arabe était sa véritable langue, qu'il pensait et se comportait comme un Arabe. D'ailleurs, il était capable d'oublier complètement son pays dès qu'il posait ses pieds sur notre terre...

— Ainsi donc, il me reste encore beaucoup à apprendre pour que mon personnage d'Arabe soit crédible... du moins à vos yeux !

— Oui... dit timidement Médina. Je sens bien que l'Angleterre représente beaucoup trop de choses pour vous, de choses plutôt matérielles... Un jour peut-être parviendrez-vous à vous couper définitivement de vos racines...

Médina lui avait parlé avec toute la sensibilité de son cœur, comme elle l'aurait fait avec son père. Elle avait prononcé ces paroles avec sincérité et le marquis en fut très étonné... et quelque peu troublé.

— Vous avez probablement raison. Pourtant, plus les jours passent et m'éloignent de mon pays, plus je me sens profondément heureux. C'est du moins ce que je ressens.

Médina était sceptique. N'avait-elle pas elle-même du sang anglais dans ses veines ? Et n'était-elle pas quelquefois la proie d'une insupportable nostalgie ? Comme pour s'encourager elle-même, elle dit fermement :

— Tant que vous serez dans ce pays, il vous faudra vous comporter comme l'un de ses habitants...

Puis elle s'interrompit un instant pour poursuivre aussitôt :

— Vous êtes un Arabe et Allah vous protège !

— J'ai avec moi un livre passionnant qui traite du comportement idéal pour être un bon musulman, dit, fier de lui, Virgil.

— Eh bien, dépêchez-vous de le lire ! rétorqua Médina, apprenez au plus vite toutes les prières... elles vous seront bien utiles lorsque vous serez à La Mecque.

Tous deux se levèrent alors pour prendre la direction de la maison où les attendait Salem.

Virgil, resté un peu en arrière, regardait marcher devant lui le jeune Ali. Il ne pouvait s'empêcher de le trouver gracieux, fragile et délicat. Et il se dit que ce petit Arabe était en train de devenir un ami. Puis il se mit à penser à Rupert et à son pays.

Que devenaient ses chers chevaux ? Il revoyait sa belle demeure au milieu de son parc immense et ne put que regretter cette vie de luxe qu'il menait, il n'y avait pas si longtemps.

Il était tout absorbé par ces pensées lorsque soudain une odeur étrange et familière à la fois vint lui titiller les narines... C'était un parfum d'encens. « Le parfum des dieux », se dit-il à mi-voix. C'était comme si ce parfum venu d'on ne sait où prenait le dessus sur le reste, ne laissant en lui qu'une impression de grand bonheur à venir...

Salem Mahana partagea leur repas, composé de plats typiquement orientaux. On leur servit du thé à la menthe et le jeune marquis en reprit plusieurs fois.

— Cet après-midi, Ali vous accompagnera et vous achèterez de l'encens. Il vous en faut en grande quantité, ce sera plus crédible si vous devez vous faire passer pour des marchands comme nous l'avons prévu.

— Très bien, dit le marquis.

Une heure plus tard, les deux jeunes gens, suivis de Nur, quittaient la ville. Un vieux Bédouin leur indiqua un bosquet où ils pourraient trouver de l'encens.

Le marquis vit pour la toute première fois de sa vie cet arbuste malingre aux minuscules fleurs blanches d'où provenait l'encens.

Le vieil homme, un récipient à la main, allait d'arbre en arbre, selon une très ancienne tradition de cueillette de l'encens.

— Voyez, dit Médina, indiquant du doigt l'un des arbustes, après avoir incisé on attend quelques semaines, puis il faut ensuite venir recueillir le précieux liquide...

— C'est un spectacle très émouvant pour

84

moi, dit Virgil, car c'est à peine si je savais que l'encens provenait d'un arbre !

— Regardez bien, cela est de l'encens pur, dit Médina, le doigt sur une petite goutte blanche.

Le marquis était fasciné par ce qu'il voyait. Le vieux Bédouin était maintenant accroupi, tout occupé à allumer un feu avec les branches cassées des arbres.

Après quelques instants, une légère fumée blanche commença de monter vers le ciel, entraînant avec elle des effluves subtils que désormais Virgil connaissait bien...

C'est alors que le jeune homme réalisa qu'il avait maintes fois senti ce parfum, aussi bien dans des églises que dans des mosquées. Et, le cœur léger, Virgil dit à son jeune guide :

— Grâce à vous, cher professeur, j'ai une fois de plus appris des choses très intéressantes ! Je me rends compte seulement aujourd'hui que l'encens a de tout temps été utilisé, dans toutes les religions, et que c'est toujours le même que l'on brûle, que ce soit dans nos églises ou dans vos mosquées.

Médina était ravie de sentir le marquis intéressé par des choses aussi simples et aussi naturelles que la cueillette de l'encens.

— L'encens est le lien entre tous les dieux... il est le même partout, quel que soit le dieu que l'on vénère. Et cela est une chose vraiment formidable

Non seulement il réalisait que ces petits bâtons de poudre brune étaient les mêmes dans tous les lieux de culte, mais il se rendit également compte qu'il avait, malgré lui, toujours associé le parfum entêtant de l'encens à la présence de Dieu.

Une fois de retour chez leur ami Salem, ils n'eurent que le temps de passer à table pour le dîner.

Le marquis était très excité par cet après-midi passé dans les bosquets. Salem s'en rendit compte et voulut attiser davantage sa curiosité manifeste :

— Vous savez, mon cher, l'Arabie est un pays de découvertes, vous n'avez pas fini d'être ébloui !

Puis, voyant que le jeune homme l'écoutait avec attention, il poursuivit :

— Vous avez sans doute entendu parler des « hommes bleus » ? Eh bien, ces hommes ont longtemps utilisé l'indigo qu'ils mélangeaient à de l'huile de sésame afin, disaient-ils, de lutter contre le froid qui sévissait dans leurs montagnes... Ils s'en enduisaient le torse et les jambes.

— C'est extraordinaire ! Mais personnellement, je préfère cent fois superposer des vêtements chauds ! crut amusant de souligner le jeune Virgil.

— Comme je vous comprends ! répondit Salem. Mais je suis certain que la visite de la fabrique de teinture vous surprendra énormément ! Ali vous accompagnera, n'est-ce pas, Ali ?

— Avec plaisir, Salem.

Puis Salem fit allusion aux nombreuses statues qui n'avaient toujours pas été découvertes en Arabie.

— Pensez-vous que ces statues desquelles vous parlez soient aussi belles que celles qui ont été découvertes en Grèce ? interrogea Virgil dont l'excitation montait peu à peu.

— Aussi belles, pour ne pas dire plus belles encore ! s'indigna quelque peu Salem.

— Plus belles encore ? répéta le jeune homme, rêveur.

— Notre pays tout entier est un grand trésor ! déclara Salem, sur un ton de fierté. L'ennui, c'est que les tribus qui possèdent ces merveilles sont prêtes à tout pour les conserver et les défendre !

— Iraient-elles jusqu'à employer les armes ? demanda Virgil.

— Armes ou pas, ce serait mettre sérieusement sa vie en danger que de tenter une chose pareille ! prévint Salem.

— Serons-nous armés lors de notre expédition ? s'inquiéta alors le jeune Anglais.

— Les hommes qui vous accompagneront sont tous des tireurs chevronnés. N'ayez donc aucune crainte.

— Vous verrez, la route sera pleine de surprise... de merveilles... le rassura Médina qui était restée silencieuse jusque-là.

— J'ai hâte de voir, dit Virgil.

— Il y a sur cette route qui mène à la Mecque une pierre énorme, à moitié enfouie dans le sable, où sont inscrits les articles de la Loi. Elle date de l'an 200 avant Jésus-Christ.

— Cette pierre est encore là ? demanda Virgil, un peu perplexe.

— Je vous la montrerai, et vous serez surpris des châtiments qu'on infligeait à l'époque à tous ceux qui violaient la Loi ! dit Médina.

— Je suis très étonné qu'une pièce aussi rare ne soit pas déjà dans un musée !

A ces mots, Salem ne put s'empêcher de rire.

— Vous verrez, cette pierre est incroyablement lourde et j'ai bien peur qu'elle soit là pour toujours, se moqua-t-il.

Salem voulut encore surprendre son ami. Il se leva donc et alla chercher quelques pièces somptueuses de sa collection personnelle :

— Voyez, mon ami, toutes ces choses m'appartiennent.

Le marquis était ému de voir autant de beautés à la fois. Il admira tour à tour des pièces de monnaie anciennes, des pendentifs en or, des portraits. Il y avait aussi un magnifique collier qui datait du IVe siècle.

— Ce serait merveilleux, n'est-ce pas, de trouver un collier comme celui-ci ? dit Médina. Vous pourriez l'offrir à la femme de votre vie. Vous rendez-vous compte ?

— Oui, ce serait un cadeau magnifique, en effet, répondit le jeune Virgil, seulement, je n'ai pas de femme dans ma vie en ce moment...

— A votre âge, mon cher ami, vous devriez être marié! s'indigna gentiment Salem.

— J'ai bien l'intention de vivre vieux et sans femme à mes côtés, dit sur un ton très sérieux le jeune homme. Je trouve les femmes incroyablement dangereuses et tellement encombrantes...

Ces révélations inattendues troublèrent Salem et la jeune Médina qui ne put s'empêcher de demander:

— Et ce voyage? Quel en est le but?

— Je ne peux répondre à une telle question. Je ne sais exactement pourquoi je suis ici, en Arabie... un jour peut-être le saurai-je...

Il se leva, puis poursuivit:

— Pour le moment, c'est à La Mecque que je pense... Après, je verrai bien.

Médina vit à quel point le marquis était nerveux à cet instant précis. Elle pensa à Burton, puis à son père. Ces hommes étaient passés d'une exploration à une autre, sans cesse à la recherche d'un idéal impossible à atteindre.

Quelque chose d'inexplicable les poussait à traverser le monde, une force indicible les entraînait toujours plus loin, chaque fois renouvelée.

Médina se rendit bien compte que le marquis, après de telles révélations, était devenu plus sombre. Elle en fut malheureuse et aussitôt lui conseilla, sur un ton amical:

— Vivre au jour le jour en profitant pleinement de l'instant présent, voilà qui doit être le secret du bonheur...

— Cela est une sage philosophie, mais penser au jour suivant donne aussi beaucoup d'espoir, répondit le marquis.

— Je suis bien d'accord avec vous, déclara Salem. Et si nous allions nous coucher avec l'espoir que demain nous atteindrons La Mecque ? Celle que chacun de nous porte en soi...

Médina sourit, puis le marquis ajouta :

— Vous avez raison, Salem, cette Mecque, c'est mon espoir à moi, et où qu'elle soit dans le monde, je veux l'atteindre !

Le surlendemain, la petite troupe d'hommes se mit en route pour La Mecque. Salem Mahana leur fit des adieux émouvants accompagnés de quelques recommandations :

— Prenez bien garde à vous ! dit-il tout particulièrement à l'intention de la jeune Médina.

— N'ayez aucune crainte, Salem, répondit la jeune fille, et encore merci pour cette formidable aventure !...

Puis, comme pour elle-même, elle ajouta dans un soupir plein de tristesse :

— J'aurais tant aimé faire ce voyage avec papa...

A cette pensée, elle sursauta. Elle venait de se souvenir, en effet, qu'elle avait oublié de confier à Salem Mahana le dernier livre que son père avait écrit juste avant de mourir. Elle fit donc demi-tour en direction de son vieil ami.

— Puis-je vous demander un dernier service ? lui demanda-t-elle.

— Bien sûr. Voyons, que se passe-t-il, mon enfant ? lui dit-il.

— Salem, vous étiez le meilleur ami de mon père, aussi je voudrais vous confier son dernier livre sur la reine de Saba. Pouvez-vous l'envoyer à ses éditeurs ?

— Partez tranquille, ma chère enfant. Je m'occuperai de tout cela. En attendant, promettez-moi de suivre le conseil que vous donniez il n'y a pas si longtemps au marquis... souvenez-vous... vivre au jour le jour...

Médina lui sourit, puis ajouta :

— Il faut aussi que vous préveniez le consul britannique de la mort de papa.

— Allez, mon enfant, partez donc tranquille... et faites bonne route.

Médina s'éloigna, le cœur serré, sans oser se retourner.

Le marquis, juché sur son dromadaire[1], attendait Médina près de la caravane.

1. On ne sera pas étonné de rencontrer dans la caravane des dromadaires, des chameaux, et aussi des chevaux qui sont utilisés indistinctement pour le transport des hommes et des charges. *(N.d.T.)*

Elle espérait que son père la voie, de là où il était maintenant... Elle voulait qu'il soit fier de sa fille et elle lui promit tout bas d'être le meilleur guide qui soit !

Elle avait la responsabilité de ce jeune marquis, il lui fallait être très vigilante et lui épargner les dangers, tous les dangers !

Alors que la caravane gagnait les dunes toutes proches, Médina ne put s'empêcher de se retourner pour regarder une dernière fois Salem qui lui faisait signe de la main.

La jeune fille se sentit le cœur gros et se dit que cette aventure qui s'ouvrait à elle allait certainement changer quelque chose dans sa vie... peut-être aussi au plus profond de sa conscience. Elle ne savait pas exactement quoi, elle avait juste un pressentiment. Quelque chose de flou et d'un peu imprécis la hantait.

Soudain, elle eut très peur de s'habituer à la compagnie tellement agréable du marquis et de ne pouvoir s'en passer. Et elle eut peur également qu'il s'en rendît compte.

La journée s'annonçait chaude et particulièrement ensoleillée. Au moment précis où la caravane quittait Qana, la petite ville sortait de sa torpeur...

Dans le port, on commençait à décharger les bateaux qui arrivaient des Indes. De jeunes garçons accompagnaient les troupeaux de chèvres à travers les chemins poussiéreux.

Des gens de plusieurs nationalités se côtoyaient. Ils rencontrèrent, par exemple, un jeune Français qui résidait à Aden et cherchait à passer en Abyssinie. Il voulait regagner Harar pour faire le commerce du café.

La caravane suivait maintenant la piste qui remontait de la mer d'Arabie vers la Méditerranée. Le marquis se sentait pleinement heureux.

Les chameaux étaient tous très jeunes, mais leurs pattes étaient suffisamment fortes pour soutenir le poids des lourdes charges qu'on avait empilées sur leur dos. Un bon nombre des sacs contenaient l'encens que le marquis était supposé avoir acheté à Dhofar.

Virgil apprécia le petit air frais qui venait de la mer. Médina qui s'en rendit compte lui dit :

— Apprécions l'instant présent...

Puis, se retournant vers son compagnon, elle rencontra son regard et ils se sourirent...

Virgil lança alors vers le ciel un cri de joie.

Ils passèrent leur première nuit dans un endroit tranquille, à l'abri de la chaleur.

Le jeune Anglais fut surpris de voir que son guide montait sa tente loin de la sienne. Il se dit que sans doute l'Arabe voulait ainsi lui montrer qu'étant fils de cheik il ne se mélangeait pas aux autres hommes.

Le dîner fut préparé par Nur, avec des

légumes et des fruits achetés à Qana. Médina surprit beaucoup le marquis lorsqu'elle lui parla longuement de l'Europe et tout particulièrement de la Grèce, pays qu'elle disait apprécier énormément.

Elle lui raconta qu'un médecin, du nom de Ménécrates, avait l'habitude de se faire passer pour Zeus. Ainsi, un jour, Philippe de Macédoine l'avait invité à l'un de ses banquets et il lui avait joué un drôle de tour. Alors que des mets succulents étaient servis aux invités, le pauvre Ménécrates avait été isolé dans un coin, et, tel Zeus, il avait été honoré par des centaines de bâtonnets d'encens... sans rien avoir à manger !

Cette anecdote fit beaucoup rire le marquis. Médina avait pris un certain plaisir à décrire les banquets de l'époque, avec ces jeunes garçons en tunique qui portaient sur d'immenses plats en or une abondante nourriture, si bien que Virgil lui demanda :

— N'auriez-vous pas aimé vivre à cette époque de grande décadence et de luxe extrême ?

— Non, je suis très content d'être né à notre époque, mais j'ai été très intéressé en apprenant l'Histoire de la Grèce antique à l'école...

— C'est curieux. Pour ma part, le fait d'apprendre le grec à l'école m'a, dans un premier temps, beaucoup ennuyé. C'est seulement dans un second temps que j'ai apprécié cette belle langue.

— Mon père disait toujours que les Grecs

ont beaucoup apporté aux civilisations qui leur ont succédé...

Médina avait fait allusion à son père bien malgré elle. Le marquis voulut alors tout naturellement en savoir plus sur cet homme qui semblait avoir eu une grande influence dans la vie de ce jeune guide :

— Votre père ? Où est-il en ce moment ?

Émue, la jeune fille regarda vers le ciel et dit d'un air désinvolte :

— Il se fait tard... si nous allions nous coucher ?

Virgil s'étonna de ce que le jeune guide ne réponde pas à sa question.

Peu à peu, ce dernier lui faisait l'effet d'être un jeune homme bien mystérieux. Son étonnante culture le surprenait de jour en jour. Et toutes ces allusions à son père restaient, il faut bien le dire, très superficielles.

Le marquis, qui était un homme d'un naturel curieux, se promit d'en savoir plus dès le lendemain matin. « Ce garçon me cache quelque chose », se dit-il...

Alors qu'il regagnait sa tente, des idées étranges lui parcouraient l'esprit. Il se demandait si tout ce silence n'était pas une forme de pudeur, puis il se dit que peut-être le jeune Arabe avait fui le domicile familial pour une raison quelconque. Et si le père et le fils s'étaient querellés ?

Mais Virgil finit par se trouver trop curieux et cela le mit mal à l'aise. Jamais il n'avait éprouvé un tel intérêt pour quiconque... Que lui arrivait-il donc ?

Il se persuada que la seule chose qui avait un réel intérêt pour lui était La Mecque... Seulement La Mecque.

Le fait de savoir si oui ou non le jeune Arabe était marié, combien de femmes il avait et si ses parents vivaient encore et si... il... Non ! plus rien ne devait compter pour lui. Son unique but était d'atteindre La Mecque puis de rentrer en Angleterre pour toucher l'argent de son pari.

Il se souvint des réceptions, des bals somptueux qu'il donnait, de tous ses chevaux de course, des élégantes femmes qu'il fréquentait... Mais Hester lui revint aussitôt à la mémoire et cela le mit de fort mauvaise humeur.

Pour lui, désormais, toutes les femmes étaient des êtres volages. Il ne voulait plus entendre parler d'aucune d'elles !

« Que m'arrive-t-il ? se lamentait-il, pourquoi ne suis-je pas aussi superficiel que les autres hommes ? Que me manque-t-il ? Je cherche quelque chose de grand, de fort, de profond, mais quoi ?... »

Il n'en pouvait plus de toutes ces questions, mais ne parvenait pas à calmer son pauvre esprit. Aussi, finit-il par sortir de sa tente pour se diriger vers les dunes de sable environnantes.

Quelle ne fut pas sa surprise de voir se

détacher au loin une silhouette blanche ressemblant fort à celle du jeune Ali !

L'Arabe était assis en tailleur à quelques pas de sa tente. Il semblait absorbé par quelque pensée, et c'est sur la pointe des pieds que Virgil s'approcha. Mais le jeune guide qui était resté sur ses gardes sursauta en le voyant tout près de lui et ne put que prendre la fuite.

Le marquis ne sut comment interpréter cet étrange comportement. Il se dit que, décidément, le garçon était bien mystérieux.

Pourtant il attendit quelques instants, persuadé qu'il reviendrait lui dire bonsoir, mais en vain... C'est donc tout confus qu'il s'en retourna à sa tente, l'esprit encore plus embrouillé qu'auparavant.

Une fois allongé sur sa couche, Virgil essaya de se remémorer la conversation qu'il avait eue avec son guide avant de se coucher, afin de trouver une parole, un mot qui aurait pu expliquer un tel comportement... Mais il ne trouva rien. Tout cela n'avait aucun sens.

Alors, très vite, le jeune homme sombra dans un profond sommeil.

5

Médina, cette nuit-là, ne put pour sa part trouver le sommeil. Elle s'était ridiculisée et cela, elle ne se le pardonnerait jamais. Le marquis avait dû la prendre pour une folle et à l'heure qu'il était, il devait bien se moquer d'elle... Demain, que se diraient-ils ?

La jeune fille, ne parvenant pas à dormir tant le souvenir de son père la hantait, était sortie ce soir-là de sa tente le visage complètement démaquillé et la tête découverte. Surprise par la présence du marquis, elle n'avait pas eu d'autre solution que de prendre la fuite. Il était hors de question que ce dernier la voie sous sa réelle identité.

« Comment ai-je pu être aussi stupide ? » se tourmenta-t-elle.

La région de Saba n'étant qu'à quelques kilomètres de leur campement, la jeune femme avait eu une tendre pensée pour son père... Puis, bien vite, les larmes s'étaient mises à couler le long de son joli visage et elle avait alors éprouvé le besoin de sortir afin de se changer les idées.

C'est ainsi qu'elle s'était retrouvée à quelques pas du campement, sous le grand ciel constellé d'étoiles, le visage débarrassé de son épaisse couche de henné et ses longs cheveux épars sur son dos...

La jeune Médina s'était sentie fort seule cette nuit-là. Certes, elle avait, avec son père, rencontré des gens, toutes sortes de gens, davantage sans doute que la plupart des filles de son âge. Et c'était précisément pour cette raison que ce soir elle se sentait comme abandonnée du monde...

Elle repensait à tous ceux qu'elle avait connus par l'intermédiaire de son père. Il y avait eu des sultans, des cheiks, des anthropologues et des explorateurs, dont le fameux Richard Burton. Elle avait également eu le privilège d'aborder certaines tribus d'Arabie et de devenir l'amie de quelques-uns de leurs membres, maîtrisant leurs dialectes à la perfection.

Combien de beaux voyages avait-elle eu aussi la chance de faire ! Il y avait eu la Grèce, puis l'Italie et enfin l'Espagne. Chacun de ces pays était pour elle un souvenir inoubliable.

« Je suppose, se disait-elle, que j'ai reçu une éducation particulièrement privilégiée... riche d'expériences diverses, réservée en général à des gens d'âge mûr, grâce à laquelle j'ai maintenant une âme de nomade qui me fait apprécier le moindre petit grain de sable, le moindre coucher de soleil... Mais qu'il est dur parfois d'errer ainsi sous les étoiles, sans racines et sans toit... »

Médina ne savait plus si elle devait se sentir heureuse ou bien si elle devait se laisser aller à pleurer ainsi qu'elle le faisait depuis un bon moment.

Elle réfléchit à son avenir et se dit que, tôt ou tard, il lui faudrait sans doute rentrer en Angleterre. En effet, l'argent que lui avait laissé son père serait vite épuisé.

« Que vais-je devenir ? » répétait-elle sans cesse en se torturant l'esprit. Sa vie était sur le point de changer, elle le sentait confusément et cela la troublait beaucoup.

Après quelques idées sombres, elle parvint enfin à se laisser aller au sommeil le plus profond. Demain serait un jour nouveau...

Le lendemain matin de très bonne heure, la jeune fille ne sut comment aborder le marquis. Aussi évita-t-elle de prendre son petit déjeuner en même temps que lui. Elle s'efforça de s'affairer auprès des chameaux afin de reculer au maximum le moment où elle devait affronter son ami.

Celui-ci, demeuré sous sa tente, se remémorait les différentes villes qu'Ali lui avait fait découvrir depuis leur départ de Qana. Ils avaient déjà vu de très belles choses : des ivoires, des fresques, des colonnes en quantité qu'il aurait bien aimé examiner de plus près si Ali n'en avait décidé autrement...

Celui-ci avait été pressé de l'entraîner à Say'un. Là, ils découvrirent une étonnante mosquée, entourée d'étranges tombes. Puis il l'avait conduit à Tarim où la mosquée était encore plus spectaculaire que la précédente avec ses 50 mètres de hauteur. Ils avaient eu le privilège d'ailleurs d'entendre le muezzin... Ils avaient également visité la fameuse teinturerie dont leur avait parlé Salem Mahana.

Médina lui fit encore découvrir de petites statues représentant des chameaux, qui dataient de l'an 1000 avant J.-C. Celles-ci retinrent tout particulièrement son attention. Il rit de bon cœur lorsqu'il apprit que ces bêtes avaient été domestiquées vers 1300 avant J.-C., probablement après qu'on se fut rendu compte que le lait des chamelles était comestible.

— Non seulement ces bêtes donnent du lait, avait dit la jeune fille amusée, mais aussi de la laine, de la viande et du cuir !

— Le chameau serait sans doute l'animal idéal s'il était plus agréable à regarder ! Si seulement il avait la silhouette d'un pur-sang !... avait répondu le marquis en plaisantant.

Médina mourait d'envie de lui dire combien elle aurait aimé voir ses chevaux de course en Angleterre, mais elle n'en fit rien.

Ils se trouvaient maintenant sur la route qui traversait la région de Saba, laquelle avait été gouvernée, autrefois, par la fameuse — et fort belle — reine de Saba.

Médina espérait de tout son cœur que le marquis serait conquis par cette région qu'elle-même aimait tant. Sinon elle s'en trouverait profondément déçue.

Saba était le lieu où son pauvre père avait fait d'importantes découvertes qu'il avait révélées dans son livre, juste avant sa mort. Il avait, par exemple, déchiffré des centaines d'inscriptions mystérieuses.

Ma'rib était la capitale de cette région de l'encens. Edmund Tewin et sa fille Médina y étaient restés une année entière tant cette ville était passionnante. La jeune fille prit d'ailleurs un grand plaisir à raconter au marquis cette histoire qu'elle tenait de son père au sujet du roi Salomon. Celui-ci, selon une légende très ancienne, avait envoyé à la reine de Saba un petit oiseau qui tenait dans son bec un billet d'amour. La belle aurait trouvé cette idée absolument charmante !

— Cette reine était d'une beauté exceptionnelle, dit, pensive, la jeune Médina.

— Oui, c'est ce qu'on dit à son sujet. Et une femme aussi irréelle dans une région tellement extraordinaire que celle-ci devait donner un tableau bien surprenant...

Par ces paroles anodines, Médina put mesurer la passion du marquis pour cette région. Elle était heureuse que cet homme fût si différent des autres Anglais qu'elle avait pu connaître. Elle aimait qu'il fût ainsi sensible à la beauté de ce pays. C'était comme si les esprits qui vibraient autour d'eux s'étaient soudain emparés de l'âme de Virgil.

Dès qu'il avait aperçu au loin la petite ville de Ma'rib, avec ses gracieuses constructions se détachant sur la rugueuse montagne, le marquis avait poussé un cri d'admiration. Il était d'ailleurs descendu de son dromadaire afin d'admirer à son aise le paysage qui s'étendait autour de lui.

Médina avait senti que le marquis était sincère. Ce dernier était resté longtemps silencieux... Elle respecta ce silence puis eut envie de dire :

— Savez-vous que, d'après le Coran, les gens de cette belle région se seraient détournés d'Allah ?

— Comment ont-ils pu faire une chose aussi grave ? demanda le jeune marquis visiblement choqué.

— Ils ont été maudits pour leur stupidité.

Les deux jeunes gens se turent, et, suivis par la longue caravane, ils se dirigèrent vers la petite ville.

Cette nuit-là, ils s'installèrent à l'extérieur de la ville, tout près des champs de blé et de citronniers. Ils furent enchantés de voir voleter autour d'eux les magnifiques huppes que Médina aimait tout particulièrement :

— J'ai toujours pensé que ces oiseaux étaient les frères de celui qui apportait les messages d'amour à la reine de Saba !

A ces mots, le marquis sourit. Il avait l'impression étrange d'être au beau milieu d'un paysage de rêve...

Autour d'eux, les huppes poussaient de curieux gloussements. Et si elles leur transmettaient un message secret ?...

Le jeune Virgil était ému de tant de beauté, de tant de grâce, et il se surprit à rêver. D'ailleurs, il sembla absent une bonne partie de la soirée, tant il était absorbé par ses pensées. La douceur du paysage l'entraînait dans des songes merveilleux hantés par la présence exquise de la superbe reine de Saba...

Médina ne put supporter longtemps un tel silence, d'autant que le marquis lui semblait s'éloigner d'elle. Elle comprit qu'il avait succombé aux charmes de cet endroit paradisiaque et soupçonna la reine de Saba de quelque sortilège... Elle en fut jalouse et voulut aussitôt mettre fin à tout cela.

Ce sentiment confus de jalousie l'étonna, d'ailleurs. Elle se sentait subitement devenir possessive, ce qui la troubla beaucoup. Que se passait-il donc dans son cœur et dans sa tête pour qu'elle soit envahie d'un tel trouble ? Et, alors que, peu à peu, ses idées se précisaient, la jeune fille prit conscience de son attachement pour le marquis.

Par sa simple présence, cet homme lui était devenu indispensable. Elle le réalisait maintenant avec souffrance. Cet homme, qui n'était pas sans lui rappeler son père, lui était devenu familier et, de ce fait, elle sentait qu'elle aurait bien du mal à s'en séparer.

Elle ne pourrait jamais supporter son départ

pour l'Angleterre une fois cette expédition terminée. Il avait pris trop d'importance pour elle pendant ce merveilleux voyage. C'était un homme unique et rare. Il était à la fois intéressant, cultivé, curieux, gai, et aussi tellement rêveur et mystérieux. Elle l'admirait pour sa virilité, sa forte personnalité. Que de douceur et de sensibilité, aussi, régnaient chez cet homme !

La jeune fille se sentait le devoir de le protéger. Il avait un pari ridicule à gagner qui risquait de lui coûter la vie. Il fallait absolument l'en détourner. Lui créer un autre but, tout aussi extraordinaire, mais moins dangereux, voilà quel devrait être son objectif.

« Je dois le sauver ! je dois tout faire pour le sauver ! » se disait la jeune Médina, hantée par l'idée qu'il pouvait perdre la vie.

Puis elle se mit à douter d'elle-même et à se torturer l'esprit en se persuadant qu'elle n'était rien de bien important aux yeux du marquis. Sans doute n'était-elle qu'un pauvre petit Arabe duquel il se séparerait quand l'heure serait venue pour lui de rentrer dans son pays où devaient l'attendre de très élégantes femmes.

« Que puis-je faire ? » se lamentait-elle. En tout cas, il fallait qu'elle trouve un moyen d'éviter ce terrible voyage vers La Mecque.

Médina implorait l'aide d'Allah, puis celle de son père disparu, quand soudain elle eut la sensation étrange d'une présence familière à ses côtés. Elle crut entendre la douce voix de son père qui lui disait de parler au marquis d'une statue représentant la reine de Saba, enfouie sous les sables...

— Ciel! s'exclama alors la jeune femme, rayonnante de bonheur, merci mille fois, cher petit papa, de ce précieux conseil...

Puis elle se promit de parler sans plus attendre de ce merveilleux trésor au marquis.

La nuit était fraîche et comme enveloppée d'une brume légère. Le jeune Virgil était maintenant plongé dans une extase que la jeune femme connaissait bien pour avoir vu maintes fois son père dans le même état... La région de Saba engendrait de curieuses réactions chez les âmes sensibles.

— Puis-je vous parler? demanda timidement Médina.

— Bien sûr, voyons, mon cher Ali! sursauta le marquis qui sortait de sa torpeur.

— La dernière fois que je suis passée par cette région, un archéologue indien m'a raconté un rêve étrange qu'il avait fait...

Le marquis attendait la suite de l'histoire, le regard déjà brillant de curiosité.

— ... Ce rêve lui indiquait avec une précision incroyable l'endroit où était enterrée la merveilleuse statue de la reine de Saba...

— La statue de... la... reine de Saba?

s'exclama avec peine le jeune Virgil qui attendait impatiemment la suite.

— Vous avez bien entendu, dit Médina, ravie de voir que le jeune homme prenait la nouvelle à cœur.

— Continuez, je vous en prie, demanda le marquis.

— Cet homme m'a donné tous les détails de la cachette... il ne nous reste plus qu'à vérifier.

— Mais comment expliquez-vous qu'il ne l'ait pas déjà fait lui-même ? interrogea Virgil tout à fait perplexe.

— Le pauvre aurait bien voulu, mais il est tombé malade à ce moment-là. Il a dû rentrer d'urgence dans son pays, si bien que je suis le seul à détenir le secret !

— Formidable ! s'écria le marquis. Et que comptez-vous faire ?

— Cette statue nous attend, mais si nous décidons de nous mettre à sa recherche, il faudra le faire avec beaucoup de précautions afin d'éviter que les gens du village ne se rendent compte de notre présence, auquel cas nous serions tués comme des bêtes ! Seul Nur pourra nous accompagner pour une telle expédition. Maintenant, c'est à vous et à vous seul de décider si la découverte d'un tel trésor vaut ou non la peine que nous fassions un détour...

— Comment pouvez-vous imaginer un instant que je puisse hésiter ! Cette statue déjà me rend heureux... Allons-y, Ali, je ne peux attendre plus longtemps !

— Il nous faut une bêche, nous en aurons bien besoin ! Je vais prévenir Nur...

Médina était au comble de la joie, elle remerciait son père du fond du cœur pour son précieux conseil.

« Pourvu que la statue soit encore là ! » se dit-elle cependant avec inquiétude.

Dès qu'ils le purent, les trois amis se mirent en route vers le trésor... Il n'était plus question de La Mecque. Désormais, le marquis avait une nouvelle passion...

Très vite, ils aperçurent les premiers vestiges de la ville antique. Le ciel brillait de toutes ses étoiles et c'était un spectacle absolument merveilleux.

Médina revit avec émotion ce paysage, encombré de blocs de pierre gigantesques, qu'elle avait bien connu. Son père y avait longtemps travaillé avant d'y trouver la mort. Çà et là, on pouvait voir des colonnes à moitié enfouies dans la terre ainsi que des arcades pour la plupart effondrées. C'était tout ce qui restait d'un temple, vraisemblablement très ancien.

Un peu à l'écart de ces splendides ruines, ils eurent tôt fait de découvrir un socle que recouvraient de mystérieux hiéroglyphes.

Le marquis interrogea du regard le jeune guide qui lui dit aussitôt :

— C'est bien là. Mais avant de commencer

à creuser, je vous conseille d'ôter votre chemise. Cela risque d'être long !

Virgil s'exécuta sans mot dire, tant la tension était grande... Médina, troublée par le torse nu et si bien musclé du jeune homme, recommençait à être envahie par le sentiment confus qui l'avait déjà submergée peu de temps auparavant.

Pendant que le marquis creusait la terre sèche, la jeune fille ne pouvait s'empêcher de repenser à son cher père... Ce dernier, elle s'en souvenait, avait été plus lent dans son travail, son corps étant nettement moins athlétique...

« Pourvu que papa nous regarde, se disait-elle, et pourvu que la statue soit toujours là... »

Elle suivait maintenant le déroulement de l'opération avec plus de nervosité... « Et si cet archéologue indien avait induit papa en erreur ? »

Elle trouvait le temps long. Le trou creusé était de plus en plus profond sans que rien jamais ne vienne heurter la bêche... Animé par un espoir sans précédent, le marquis quant à lui creusait sans interruption... La statue allait-elle bientôt surgir ?

Médina eut soudain envie d'adresser une prière à tous les dieux de la terre afin qu'ils leur viennent en aide.

Quelques minutes qui lui semblèrent des siècles s'écoulèrent. Puis, soudain, il y eut comme un bruit sourd, provenant des profondeurs sombres de la terre... Le souffle coupé, les deux jeunes gens s'immobilisèrent un instant, les yeux dans les yeux... dans le silence le plus total.

Tout à coup, comme poussé par un élan de pure folie, Virgil se jeta ventre à terre pour gratter de ses deux mains ce qu'il savait déjà être le trésor le plus merveilleux... et le plus lourd qu'il ait jamais osé imaginer. La célèbre statue de la divine reine de Saba se trouvait bel et bien là !

— Trop lourd ! C'est trop lourd ! disait-il.

Puis, s'y prenant autrement, il parvint à déplacer légèrement la masse sombre pour la porter à la surface sans bien encore la distinguer...

— Bravo ! Bravo ! s'exclamait Médina qui n'en croyait pas ses yeux.

Le jeune homme, encore tout ému, ne sut comment s'y prendre avec cette masse ternie par le temps qui gisait là entre leurs pieds.

Il finit par s'agenouiller pour mieux la contempler, puis il la saisit à bout de bras pour la tendre aussitôt à son jeune guide qui trépignait de joie.

— Tenez, je vais essayer d'enlever cette couche de poussière.

Il n'avait pas terminé sa phrase que Nur s'écria :

— Il y a encore des trésors tout au fond... venez voir !

Un magnifique collier en or, très sobre et

d'une ligne très pure, gisait, en effet, au fond du trou, sur un tapis de pièces de monnaie.

— Je pense que cette fois le trésor est au complet, dit le marquis après que Nur fut remonté les mains vides.

Pendant ce temps, Médina avait frotté la statue et celle-ci se révéla être de bronze, tenant dans une main un bâton d'encens et dans l'autre une lampe à huile.

— Regardez! s'exclama-t-elle. C'est magnifique!

— Magnifique! C'est vrai, cette pièce est magnifique... unique!

— Dépêchons-nous de reboucher le trou, suggéra Nur.

— Il a raison, il vaut mieux ne pas nous attarder, dit Médina.

Noyé de bonheur, le marquis eut envie de plaisanter et dit sur un ton quelque peu taquin:

— Alors, voyons voir... Et si vous me prêtiez votre chemise afin que je puisse envelopper ces trésors?

Il s'était, en toute naïveté, adressé à Ali qui bien sûr rougit à l'idée de devoir enlever sa chemise... et de dévoiler ainsi... sa féminité!

— Très bien, je vais retirer la mienne, dit le jeune marquis, voyant que Médina ne bougeait pas. Mais attention, ces trésors seront les miens... pas question de partager, continua-t-il dans la bonne humeur.

Médina, qui avait craint le pire, fut fort soulagée de voir que son compagnon avait proposé cela par jeu, uniquement par jeu.

Alors qu'il se déshabillait, à nouveau elle admira la parfaite blancheur de la peau du jeune homme. Puis soudain elle fut prise de terreur et s'exclama :

— Faites vite ! Si quelqu'un vous voyait ! Votre peau si blanche vous trahirait !

— Ne parlez pas si fort ! répondit en riant Virgil qui décidément était d'humeur excellente. Vous allez réveiller les fantômes !...

Médina sentit qu'il se moquait d'elle avec tendresse. Et si ce jeune Arabe qu'elle représentait était devenu pour lui un ami indispensable qu'il ne pourrait plus quitter ?

Les trois compagnons se dirigèrent vers le campement, serrant leur trésor sur leur poitrine.

Médina fut conviée à entrer sous la tente du marquis pour boire quelque chose. Tous deux se faufilèrent donc sous la toile où Nur devait les rejoindre avec des boissons.

Ils ne tardèrent pas à déballer le butin qui leur apparut encore plus extraordinaire que tout à l'heure.

— Je crois bien que je n'ai rien vu de plus beau, dit en toute simplicité Virgil. Jamais je n'aurais imaginé être propriétaire d'un tel trésor !

A ces mots, Médina prit peur et demanda d'un air faussement détaché :

— Comptez-vous réellement garder ces objets ?

— Et comment donc ! Je compte même leur donner une place de grand choix dans mon immense salon !

Médina était perplexe. Cet homme était-il soudain devenu fou à la vue de si belles choses ?

— Il va falloir prévenir les musées d'Angleterre, dit-il après quelques instants de réflexion. Bien sûr vous devrez me dire le prix que vous en voulez !

— Le prix que j'en veux ? s'étonna Médina, indignée.

— Ces découvertes sont aussi les vôtres ! Et je ne les emporterai avec moi en Angleterre qu'avec votre accord...

— Je me fiche de l'argent que je pourrais bien en tirer, monsieur le marquis ! s'écria la jeune fille au comble de la colère.

— Je ne vous comprends pas, mon cher Ali ! Nous n'allons tout de même pas partager cette statue en deux !

Médina alors ne put s'empêcher de rire de bon cœur. Puis, s'efforçant de se raisonner, elle dit :

— Si seulement cette statue pouvait vous éviter d'oublier notre pays et tous ceux que vous y avez rencontrés !...

Elle avait parlé avec toute l'émotion qu'elle ressentait pour cet homme qui la rendait si heureuse malgré lui.

— Remarquez que rien ne peut nous assurer que je reviendrai « entier » de ce voyage à La Mecque ! dit très sérieusement le marquis. Si je ne sors pas vivant d'une telle expédition, vous pourrez toujours garder ces objets comme souvenir !

— Comment pouvez-vous parler avec autant de légèreté ? demanda Médina. N'avez-vous pas réalisé que si vous étiez découvert, je serais moi-même traitée comme votre complice...

— Vous pourrez toujours dire que j'ai abusé de votre confiance en me faisant passer pour un Arabe...

— Encore faudrait-il qu'ils m'en laissent le temps ! dit Médina qui redoublait de cynisme.

Cet homme était inconscient, elle s'en rendait bien compte à présent. La mort ne lui faisait pas peur, mais la jeune femme avait besoin de lui... vivant !

A cet instant précis, elle aurait voulu pleurer ! Heureusement, Nur vint les rejoindre pour les prévenir de l'heure avancée de la nuit, leur conseillant d'aller dormir :

— Comme le disait souvent mon maître : « Il ne faut jamais traîner après le crime »... Il disait cela chaque fois qu'il venait de faire une nouvelle découverte ou une fouille importante...

— Il serait plus sage de quitter le campement, demain matin, dit Médina qui craignait que le domestique ne trahisse son secret.

Puis Nur sortit.

Le marquis alors s'étonna :

— Dites-moi, cher Ali, comment se fait-il que Nur fasse aussi souvent référence à son maître ? N'est-ce pas vous son maître ?

— Si... bien sûr, hésita la jeune fille.

— Peut-être alors fait-il allusion à un très ancien maître... sans doute un archéologue ?...

La jeune Médina ne savait s'il fallait répondre.

— J'ai su par Salem Mahana que Nur était depuis toujours votre domestique. Comment l'avez-vous connu ?

— Comme cette statue est merveilleuse ! s'exclama la jeune fille pour détourner la conversation.

— C'est une pièce unique, vous savez, Ali, dit Virgil qui n'avait rien vu du stratagème.

— Pourvu qu'Allah vous protège et que cette statue ne mette pas votre vie en danger !...

— Que voulez-vous dire ? Pensez-vous qu'il serait plus sage pour moi de rentrer tout de suite en Angleterre ? Et de renoncer à La Mecque !

— Oui, c'est en effet le fond de ma pensée, ne put s'empêcher d'avouer Médina.

— Mais pourquoi cette peur ? Que redoutez-vous ?

— Vous ne pourrez jamais comprendre ! Les Arabes sont fanatiques quand il s'agit de religion... Ils sont prêts à tout pour la défendre... et violer La Mecque est sans doute ce qu'il y a de plus grave, de plus dangereux, voire d'irrémédiable !

— Cela, je le sais déjà ! riposta le marquis.

— Cette entrée dans la Cité interdite est-elle vraiment si importante pour vous, au point d'y sacrifier votre vie ?

— Cela me regarde !... Et puis, pour tout vous avouer, c'est en effet une aventure qui a beaucoup d'importance pour moi... et je me suis promis d'aller jusqu'au bout, même si je devais perdre la vie ! déclara fièrement Virgil.

Médina avait échoué dans sa tentative de décourager le marquis. Elle en éprouva une peine immense qu'elle eut beaucoup de mal à cacher.

— Tant pis pour vous ! lança-t-elle éperdue avant de quitter la tente, les larmes aux yeux.

Elle rejoignit alors sa couche où elle s'allongea, le cœur meurtri par tant d'égoïsme.

Et c'est à cet instant précis de sa vie que la jeune Médina sut qu'elle était follement amoureuse.

6

Très tôt, le lendemain matin, Médina alla se recueillir sur la tombe de son père bien-aimé. Elle se souvenait que de grosses pierres avaient été posées tout autour et de ce fait elle n'eut aucun mal à la retrouver.

Le sable qui s'était infiltré entre les pierres donnait l'impression d'une tombe très ancienne. Émue, la jeune fille s'agenouilla afin de se recueillir un instant.

« Papa, cher papa, aidez-moi, je vous en supplie... aidez-moi à sauver le marquis !... Vous seul pouvez faire quelque chose. Il doit renoncer à son voyage à La Mecque... il le faut ! »

Médina, troublée par la violence soudaine de ses sentiments envers le jeune marquis, ne put qu'ajouter :

« Vous le savez, cher papa, si cet homme devait y perdre la vie, je mourrais aussi... je l'aime ! je l'aime aussi fort que vous aimiez maman... oh ! aidez-moi, par pitié, aidez-moi !... »

La fièvre de ses prières était si intense que bientôt tout son visage fut inondé de grosses larmes.

« Papa, si vous m'entendez, aidez-moi. Cet homme est unique, jamais je ne pourrai en aimer un autre !... aidez-moi, je vous en conjure !... »

La jeune Médina eut alors l'impression étrange qu'une main réconfortante lui caressait la tête, comme son père avait l'habitude de le faire lorsqu'elle était enfant. C'était un peu le temps passé qui revenait. Le père et sa fille étaient réunis comme autrefois.

Médina se laissa aller à toute cette douceur, retrouvant peu à peu son calme. Soudain elle regretta de tout son cœur de n'avoir rien à laisser sur la tombe de son père. Elle aurait tant voulu y déposer quelques fleurs, sans oublier, bien sûr, l'encens traditionnel.

Mais c'était sans doute mieux ainsi, pensa-t-elle. En décorant la tombe, elle aurait peut-être attiré les pillards qui ne manquaient pas dans cette région pourtant relativement déserte.

« Qu'Allah vous protège, cher petit papa adoré ! » murmurait-elle tout en se dirigeant vers le campement.

Après avoir soigneusement séché ses larmes, la jeune fille regagna le camp où tout le monde dormait encore. Elle décida alors d'attendre et s'allongea sur sa couche.

Le soleil se levait à peine lorsqu'on entendit les premiers grognements des chameaux. Puis ce fut le tour des chameliers qui se mirent à parler haut et fort alors qu'ils s'affairaient autour de leurs bêtes.

Nur, ce matin-là, servit un petit déjeuner frugal tant il avait hâte de quitter le camp, de peur qu'on ne les repère.

A la grande surprise de la jeune fille, le marquis qui était de fort bonne humeur s'adressa à elle comme si de rien n'était. Il fit allusion aux découvertes de la veille. Cependant, il ne dit rien en ce qui concernait La Mecque. Médina espérait qu'il se fût découragé.

Elle-même se garda bien de tout commentaire. Cet homme savait exactement ce qu'il risquait, il avait eu les conseils de son guide, ceux aussi de ses amis. Lui seul allait décider de son sort.

Le moment vint où il fallut quitter le camp. Chacun monta son dromadaire et la longue caravane poursuivit sa route à pas lents.

Très vite, Médina eut froid, mais elle dut se raisonner, sachant que cette fraîcheur serait bien plus insupportable lorsqu'ils atteindraient les montagnes, dans le courant de la journée.

La caravane traversa des paysages d'une grande diversité où les cultures en terrasses contrastaient avec les roches volcaniques. Le marquis était ébloui par la beauté du site.

Médina arrêta quelques instants son dromadaire et dit en pointant du doigt :

— Voyez cet étroit passage entre les deux montagnes. Eh bien, nous allons devoir nous y faufiler...

— C'est extraordinaire ! s'exclama le jeune Virgil, enthousiasmé par ce paysage accidenté et plein de contrastes.

— Il n'y a pas d'autre moyen de nous rendre à Sa'da, puis à La Mecque.

Il fallut donc organiser la file des chameaux et des dromadaires. Médina décida de passer la première, suivie du marquis et de Nur. Ensuite viendraient les chameliers et les chameaux qui portaient les sacs.

La caravane, pendant quelques kilomètres,

s'étira en une longue file indienne, écrasée par le silence des montagnes.

Le jeune Virgil avait la sensation curieuse d'être loin de toute civilisation et une angoisse lui serra la gorge pour la première fois.

Brusquement, un coup de feu retentit, suivi de son écho. Avant même que les jeunes gens aient pu comprendre ce qui se passait, un second coup fit s'écrouler le chameau de Médina, projetant la jeune fille quelques mètres plus loin. La caravane était attaquée ! Le marquis sauta à terre et se précipita sur son pauvre guide qui avait perdu connaissance.

Les chameliers s'étaient très vite disposés en un cercle protecteur autour des deux jeunes gens, et ils tiraient sur leurs assaillants qui dévalaient la montagne.

Jugeant que le cas d'Ali était sérieux, le marquis préféra le mettre à l'abri des coups de feu.

Il avait repéré une grotte peu de temps avant l'attaque. Il prit donc le jeune Ali dans ses bras et une fois à l'intérieur de la grotte le déposa délicatement sur le sol. Dans sa chute, le jeune Arabe avait perdu son beau turban rouge. Ses yeux restaient fermés, ce qui inquiéta Virgil. Aussitôt, il lui retira le haut de son burnous de laine afin de toucher son cœur.

Perplexe, puis bientôt surpris, le jeune homme reçut un véritable choc lorsque sa

120

main, qui écartait les uns après les autres les vêtements d'Ali, rencontra une forme chaude et bombée !

Poussé par l'affolement qui s'était emparé de lui, il s'entêta à chercher l'emplacement du cœur du jeune Arabe. Et c'est en arrachant les boutons de la chemise de soie que ce dernier portait à même la peau que le marquis vit surgir... un jeune sein !

— Ciel ! Comment cela est-il possible ? Mais que m'arrive-t-il ? s'écria-t-il, choqué.

Au même instant, une voix lointaine appela, à l'entrée de la grotte :

— Comment va Ali, monsieur le marquis ? hurlait Nur tant les coups de feu faisaient de bruit à l'extérieur.

— Il a perdu connaissance... se hâta de répondre Virgil alors qu'il tentait de rhabiller le blessé.

Nur retourna auprès des chameliers. Il y eut encore quelques coups de feu puis ce fut un grand silence.

Nur cria en direction de la grotte que les voleurs s'étaient enfuis et qu'il n'y avait plus de danger. Le marquis, inquiet, demanda alors ce qu'il était advenu des trésors. Nur le rassura : les voleurs étaient partis les mains vides.

— Nur, savez-vous s'il y a un village à proximité ?

— Oui, monsieur, il y en a un à deux pas d'ici.

— Bon, vous allez partir en éclaireur. Là-bas vous chercherez de quoi nous reposer jusqu'à ce qu'Ali soit tout à fait rétabli. Cela risque d'être long...

— Comptez sur moi, fit l'homme avant de s'éloigner.

Le marquis ne quittait pas le blessé des yeux. Ému par sa beauté fragile, il se demanda, encore sous le choc de ce qu'il avait aperçu dans la grotte :

« Pourquoi tout ce mystère ? »

Puis il souleva le corps inanimé et le hissa comme il le put sur son dromadaire. Ali souffrait d'une commotion cérébrale et il était urgent d'atteindre un endroit civilisé.

Il fallut un petit moment avant d'apercevoir le hameau auquel Nur avait fait allusion. Virgil qui avait pris Ali sur son dromadaire était exténué.

Malgré la gravité de la situation, celle-ci n'en était pas pour le moins troublante. Le corps abandonné de l'Arabe contre celui du marquis avait quelque chose d'attendrissant.

Nur qui les avait attendus avec impatience leur indiqua une petite maison au confort rudimentaire mais d'une propreté irréprochable.

— Cette maison appartient au muezzin, expliqua le domestique. Il a accepté moyennant quelques sous d'aller dormir dans sa mosquée pour deux ou trois nuits.

— Merci, Nur, vous êtes vraiment formidable, répondit le marquis, fatigué.

Puis il déposa le blessé sur une couche près de la fenêtre et s'interrogea de nouveau :

« Dieu ! mais comment ai-je pu être aveugle si longtemps ? Pourquoi une telle comédie ?... Si Rupert me voyait... »

Il se dit que son ami n'aurait sûrement pas hésité à se moquer de lui ! Il était choqué, ému, mais se sentait aussi un peu honteux, ridicule même.

Maintenant que les deux jeunes gens étaient vraiment seuls, il put à loisir dévisager cette ravissante personne qui était allongée sagement devant lui.

— Quel beau visage ! Qui peut bien être cette jeune femme ?

Il n'osait pas la toucher cependant, elle lui semblait si fragile...

Nur qui s'était absenté revint avec des couvertures et des oreillers. Les deux hommes prirent soin d'installer confortablement la blessée. C'est alors que la longue et blonde chevelure de la jeune fille libérée de son filet se répandit comme par miracle sur l'oreiller.

« Et si tout cela n'était qu'un rêve ? » se demanda Virgil de plus en plus surpris.

Puis se ressaisissant, car Nur l'épiait du coin de l'œil, il demanda :

— Nur, savez-vous où nous pourrions trouver un médecin ?

— C'est moi qui prendrai soin de ma...

— De votre maîtresse ! Eh bien, dites-le, Nur ! C'est une chose que vous avez l'habitude de faire !...

Les deux hommes se regardèrent, ne sachant trop comment allait évoluer la conversation.

— Dites-moi, Nur, pourquoi toute cette farce ?

Visiblement embarrassé, le domestique sortit de la pièce, prétextant qu'il lui fallait trouver des herbes pour soigner sa maîtresse !

Le marquis savait que certaines plantes étaient réputées pour avoir des vertus apaisantes : il faisait confiance à Nur.

Demeuré seul dans la chambre, il se dit que, tôt ou tard, il saurait la vérité. Certes, l'accident avait été grave, mais il savait que la jeune fille s'en sortirait. « Que ferons-nous, alors ? » s'interrogea-t-il, songeur.

Elle était là, qui reposait, les cheveux épars tout autour de son fin visage... telle la Belle au bois dormant... et il s'étonna de nouveau :

« Comment ai-je pu être si sot ? Il faut croire que je me fais vieux pour être resté aussi longtemps aveugle aux charmes de cette jeune personne !... »

Il jugea la ruse de la belle fort intelligente car cette dernière avait trompé tout son petit monde. En effet, il avait été le premier à ne pas s'apercevoir que la personne qu'il côtoyait cachait sa véritable identité sous un déguisement de jeune garçon arabe. Mais les chameliers eux-mêmes n'avaient-ils pas été dupés ?

Puis il se demanda qui pouvait bien être cette personne s'il ne s'agissait pas d'Ali, le fils d'un cheik ?

Au fond, il avait trouvé ce guide tout à fait particulier dès le début de leur rencontre. Ne l'avait-il pas, en effet, maintes fois apprécié pour son humour, ses propos pertinents, sa finesse et sa grande culture si étonnante pour son jeune âge ?

Décidément, cette jeune fille avait bien des talents et on ne pouvait que l'admirer !

Nur était le seul qui connaissait la véritable identité du dénommé Ali... le seul sans doute avec... Salem Mahana. Il fallait faire parler le domestique à tout prix !

Dans un premier temps, le marquis se rendit à la mosquée afin de remercier le muezzin du service qu'il leur avait rendu. Certes, il avait reçu en échange quelque menue monnaie, mais cela faisait partie du jeu social de ces pays orientaux.

L'intérieur de la mosquée lui parut fort sobre et l'homme était très sympathique.

Dans une rue voisine, de nombreux marchands ambulants vendaient de l'encens et de la myrrhe.

Virgil savait que Nur viendrait s'approvisionner en fruits et en légumes pour les repas. Toutes ces formidables couleurs qui surgissaient çà et là des couffins posés à même le sol poussiéreux faisaient regretter au marquis que la jeune fille n'assistât pas à ce spectacle.

Ensemble, ils auraient pu se promener à travers les allées encombrées et admirer les tas gigantesques d'épices de toutes sortes et de toutes les couleurs.

« Je rêve ! » se dit le jeune homme qui se rendait bien compte que la présence de cette personne mystérieuse le troublait de plus en plus. Comment cette histoire allait-elle évoluer ?

Il retourna au chevet du blessé, espérant une quelconque amélioration. Il n'en fut rien. Le silence dans la chambre avait une épaisseur émouvante, presque pathétique.

Nur entra avec sa potion magique, l'air absolument convaincu de ses bienfaits. Le jeune homme lui fit entièrement confiance. Mais, trop impatient de connaître la vérité, il demanda au domestique qui prenait place aux côtés de Médina :

— Maintenant, Nur, il faut que je sache la vérité... qui est votre maîtresse ?

Le domestique gardait les yeux baissés.

— Voyons, quel est son nom si ce n'est pas Ali ?

Devant le silence obstiné de l'Arabe, il ajouta :

— Ali est une femme... cela maintenant je le sais, mais il me manque son prénom... Nur, dites-moi son petit nom ?

Il avait formulé sa question avec beaucoup de douceur, sur le ton de la prière.

Et le domestique avait fini par lever les yeux. Alors, timidement, il murmura :

— Les chameliers croient que c'est un homme...

— Et ils continueront de le croire, n'ayez crainte, mais moi je sais, il me faut pouvoir mettre un prénom sur ce joli visage, répondit le marquis dans un sourire qui en disait long. Allez, Nur, essayez de me comprendre, comment s'appelle votre maîtresse ?

— Elle s'appelle Médina... Médina Tewin, monsieur.

— Médina... Tewin ? sursauta le jeune homme.

— Oui, monsieur. C'est bien ça. Médina Tewin.

— Votre maîtresse est donc la fille du célèbre Edmund Tewin ?

— C'est cela, monsieur.

— Incroyable ! C'est tout simplement incroyable ! Et où est son père ?

— Il est mort, monsieur, enterré dans la région de Saba.

Le jeune homme, ébloui et encore tout surpris par de telles révélations, ne pouvait s'empêcher de répéter :

— Médina... Médina Tewin ! Incroyable ! Mais je rêve ou je deviens fou !

Il se rappelait maintenant leur voyage et leurs longues conversations.

Il avait été très étonné des connaissances poussées de son guide sur certains pays. Plusieurs fois, il s'était dit que l'Arabe était très cultivé pour son jeune âge, fin et intelligent. Aujourd'hui enfin, il comprenait.

En y repensant, il lui sembla fort injuste de n'avoir pas eu le temps de faire la connaissance de cet homme qu'il admirait tant pour avoir été l'auteur du merveilleux livre *Le Parfum des dieux*, ainsi que l'ami intime de Richard Burton.

Non seulement cet écrivain de talent n'était plus de ce monde, mais il avait fait tout ce voyage en compagnie de sa fille, sans le savoir !

— Quand et comment est mort le professeur Tewin ?

Le domestique lui expliqua que cela était arrivé peu de temps avant qu'il ait débarqué à Qana, chez Salem Mahana.

Il comprenait à présent pourquoi, tant de fois, la jeune fille avait eu l'air si triste, et il s'expliquait mieux ce comportement étrange qu'elle avait eu si souvent.

« Moi qui pensais l'avoir vexée par une parole ou un geste de trop ! On dit tellement que les Arabes sont des êtres susceptibles avec les étrangers !... »

De ce fait, Virgil fut soulagé d'apprendre qu'il n'avait été pour rien dans la tristesse de son guide. Cependant, il réalisa que cette tristesse avait été d'autant plus cruelle qu'elle devait rester insoupçonnable, cachée au fond du cœur.

« Pauvre Médina ! Si je l'avais su... » se dit Virgil, attendri par toute cette mise en scène.

La jeune fille avait dû se faire terriblement

violence pour lutter ainsi contre sa vraie nature et pour se surveiller à chaque instant. Il ne l'en admirait que davantage.

Il repensa à leur traversée dans ces magnifiques dunes de sable fin et se dit que s'il avait su que son guide était une femme, la situation aurait été bien différente! Leur amitié n'aurait pas été la même et c'est sans doute pour cela que Médina avait gardé son déguisement jusqu'au bout.

Il pressentait que, malgré son indéniable intelligence, elle était un petit être fragile et innocent qu'il fallait protéger. D'ailleurs, combien de fois, lorsqu'il s'était adressé à elle comme à un homme, avait-elle paru gênée par ses propos!

La nuit arrivait et Médina demeurait inconsciente.

— Nur, que pensez-vous de l'état de votre maîtresse?

— Allah est grand, monsieur, se contenta de répondre le domestique.

Il fallait donc rester humble et s'abandonner aux mains toutes-puissantes d'Allah, en toute confiance.

C'est ce que se dit le marquis en posant délicatement ses mains sur celles de Médina.

Sur les conseils du marquis, Nur alla passer la nuit à la belle étoile, comme il avait l'habitude de le faire lorsqu'il faisait trop chaud.

— Je resterai auprès de Médina, avait dit Virgil, d'un ton rassurant.

Il s'allongea en effet sur un lit installé dans la pièce voisine. Les deux chambres étaient séparées par un voile de tulle, ce qui permettait une surveillance aisée de la jeune fille, toujours plongée dans un profond sommeil.

De nombreuses interrogations vinrent assaillir la pauvre tête du marquis qui mourait de fatigue tant la journée lui avait apporté d'émotions ! Il fut surpris, tout de même, de n'avoir à aucun instant pensé à la merveilleuse statue qu'ils avaient découverte quelques jours auparavant et en conclut qu'il était en train de tomber amoureux !

Son ami Rupert n'en reviendrait pas de tant de sérieux de sa part... Car, il se sentait désormais éperdument amoureux !

Il dormait profondément lorsque la petite voix de Médina le réveilla. Aussitôt, il sortit de son lit. La pauvre fille gémissait, faisant rouler sa tête de droite à gauche sur l'oreiller. La fièvre, qui l'avait gagnée pendant la nuit, était maintenant à son comble. Il fallait prévenir Nur immédiatement.

Celui-ci ne tarda pas à venir au chevet de sa maîtresse avec une nouvelle potion dont lui seul avait le secret. Le marquis se saisit du verre et après lui avoir doucement relevé la tête, un bras derrière son cou, il lui dit avec beaucoup de douceur :

— Buvez, buvez, ma chère enfant...

Nur regardait, récitant une prière arabe à l'intention d'Allah.

La jeune Médina se calma aussitôt. Puis suivit un long silence soudain déchiré par des gémissements aigus :

— Aidez-moi !... Papa... Pauvre petit papa... Aidez votre fille... Il ne doit pas... aller à La Mecque... trop de danger... s'il mourait, je... mourrais aussi... aidez-moi, papa !... aidez-moi !

Elle brûlait de fièvre, les yeux révulsés. Le jeune homme était bouleversé. Il ne pouvait s'empêcher de caresser ses cheveux soyeux avec beaucoup de tendresse.

A ce doux contact, elle murmura de nouveau :

— Je... l'aime... J'aime cet homme... papa, aidez-moi !

Virgil était terriblement ému par de telles confidences. Il lui prit la main et la serra très fort en s'enfermant dans un profond silence.

Quel était cet amour ? Que fallait-il en penser ? Comment, s'il était sincère, avait-il pu lui être caché si longtemps ? Tant de questions le harcelaient auxquelles il ne pouvait répondre. Cela semblait si extraordinaire, tout droit sorti d'un conte de fées...

— Ma petite princesse, ma petite Médina, souffla le jeune homme, éperdu d'amour.

Vers quelle aventure allait-il ? Lui qui avait quitté son pays à cause des assauts exaspérants d'Hester, voilà maintenant qu'il l'en remerciait à voix basse ! Grâce à cette tigresse, il avait rencontré une jeune personne adorable, tendre et fragile qui déjà le rendait tellement heureux !

« Je la veux pour moi seul ! » se dit-il, déjà possessif.

« Mais c'est une femme... et tu détestes les femmes ! » lui répondit une voix au fond de lui.

« C'est vrai, je hais les femmes intéressées, mais elle est tout le contraire... Elle m'a aimé alors que je n'étais qu'un homme prétentieux et égoïste, obsédé par un pari ridicule ! »

Les femmes l'avaient jusque-là habitué à beaucoup de manœuvres machiavéliques pour accaparer son argent. C'était à peu près le seul souvenir qu'il lui restait d'elles ! En y repensant, il était écœuré. Au contraire, Médina était pure. Elle était unique.

Toutes ses aventures précédentes étaient de ce fait gommées à jamais. Médina était différente. Elle était l'aventure à elle toute seule. Il ne savait pas exactement en quoi elle se distinguait des autres, mais il était intimement convaincu qu'elle était très différente, unique.

Il regarda une dernière fois la pauvre blessée qui souriait maintenant dans son sommeil, comme si elle-même pressentait quelque chose...

« Quelles jolies lèvres ! » se dit Virgil, au comble du bonheur.

Elle lui faisait penser à certaines statues grecques, aux traits parfaitement dessinés. Il l'admirait comme il n'avait jamais admiré une autre femme.

Et si cette Médina n'était autre qu'un ange descendu tout droit du ciel pour le protéger ? Ne ressemblait-elle pas à un être céleste avec toute cette fraîcheur de l'enfance qui la caractérisait ?

Soudain, une mauvaise pensée lui traversa l'esprit : « Et si elle était pareille aux autres ? »

Il fallait chasser cette idée noire ! Faire confiance à son destin... Médina l'avait toujours intrigué, et cela dès le début de leur rencontre. Pour quelles raisons ? Il ne le savait pas, mais cet intérêt inexpliqué était sans aucun doute un signe...

C'est le cœur gonflé de bonheur que Virgil regagna alors sa couche. Il s'endormit sur le côté, les yeux tournés vers son vrai trésor, celui que Dieu lui avait donné... Et ce trésor s'appelait Médina.

7

Médina délira toute la nuit.

Le marquis ne put dormir, si bien que le lendemain matin, il se sentait très fatigué.

Il éprouva le besoin de se changer les idées, d'aller se promener un peu. Il se fixa donc un but : se mettre à la recherche d'un dromadaire. Aucun de ceux qu'on lui présentait ne lui convenait. Il passa ainsi de nombreuses heures avant d'en trouver un à son goût.

Les heures passaient, et l'état de la jeune fille semblait stationnaire. Cela était démoralisant pour son entourage qui se sentait impuissant.

Le marquis tournait en rond. Il voulut faire une petite visite au muezzin, histoire d'occuper son esprit à autre chose qu'à cette pauvre blessée qui n'en finissait pas de délirer ! Il se dirigea donc vers la mosquée et là se détendit tout à fait.

L'homme qu'il rencontra était très intéressant et bavard. Ensemble, ils évoquèrent le Coran, l'Histoire de l'Arabie et échangèrent leurs points de vue.

Trois jours interminables s'étaient passés lorsqu'un beau matin Virgil trouva Médina assise à la table du petit déjeuner, comme si de rien n'était. Elle était très pâle mais souriante. Ce fut un choc pour son ami qui s'efforça d'être naturel.

Ils commencèrent par échanger des banalités, et la vie quelques instants sembla reprendre son cours là où ils l'avaient laissé.

Dans un premier temps, le jeune homme fut très déçu. Il avait tant attendu ce moment où tous deux se retrouveraient face à face. Après les aveux fiévreux de la jeune fille, il s'était plu à imaginer de tendres retrouvailles...

Il n'en fut rien et il comprit ainsi que Médina s'était livrée cœur et âme en toute inconscience, sous l'effet de la fièvre. Cela lui fit beaucoup de mal, mais il ne le montra pas.

— Dites-moi, que s'est-il passé ? interrogea-t-elle.

Le marquis lui raconta donc comment, après la chute, il l'avait conduite jusqu'à ce village. Puis il fit une légère allusion à la fièvre et au délire qui s'étaient ensuivis... et à cette attente épuisante d'une guérison.

— Comment vous sentez-vous maintenant ?

— Tout à fait bien. Je soupçonne ce brave Nur de m'avoir administré une quelconque potion de son invention... Enfant, je l'appelais la potion magique ! dit la jeune fille dans un sourire. Aussi loin que je m'en souvienne, elle a toujours été très efficace !

— Vous sentez-vous la force de voyager encore un peu ?

— Je suis votre guide ! s'exclama Médina pour qui tout reprenait comme avant. Je suis à votre disposition !

Virgil fit mine de croire encore un peu à la fausse identité du jeune guide arabe, mais il savait profondément que cette comédie ne pourrait pas durer bien longtemps. Il décida d'attendre le moment opportun pour briser ce silence... silence hypocrite, il le savait maintenant !

— Eh bien, cher guide, puisque vous voilà à nouveau sur pied, vous allez m'accompagner à... Aden !

— A... Aden ? reprit interloquée la jeune fille.

— Oui, figurez-vous que j'ai abandonné ce projet qui me tenait à cœur, je veux parler de mon entrée à La Mecque ! déclara calmement Virgil.

A ces mots, le visage de Médina se transforma pour rayonner de joie. Alors qu'elle tentait de cacher son émotion, elle s'empressa de dire :

— Bien sûr, nous ferons comme vous avez décidé... je suis à votre disposition, vous le savez.

— Ne m'avez-vous pas laissé entendre que le simple fait de violer un endroit sacré tel que La Mecque était pure folie ?

— Euh... oui, oui, bien sûr...

— Eh bien ! j'annule ce voyage !... d'autant plus que j'ai en ma possession une statue magnifique ! Grâce à elle, mon retour en Angleterre fera sensation, j'en suis sûr !

— Oui, oui, bien sûr... se contentait de dire Médina que ce revirement étonnait beaucoup.

Ils parlèrent de ce changement de programme tout en dégustant leur petit déjeuner. Puis, ils sortirent de la maison afin de prendre l'air :

— Cela vous fera du bien ! avait dit le marquis qui avait une idée derrière la tête.

Ils se promenèrent alors dans la ruelle voisine, mais Virgil, agacé par tous ces regards posés sur eux, proposa bientôt de monter sur leurs dromadaires et de s'éloigner un peu du village. Ce qu'ils firent.

Médina réalisait qu'il ne lui restait plus beaucoup de temps à passer en la compagnie de cet homme pour lequel son cœur n'avait cessé de battre. Elle était en effet très malheureuse en pensant au départ prochain du marquis.

Leurs bêtes avançaient côte à côte sur la route ensablée, le long des palmeraies. C'était encore une belle journée qui promettait d'être chaude.

Virgil, troublé comme jamais par la présence de cette jeune fille à ses côtés, sentait monter en lui une fièvre étrange qu'il avait bien du mal à contrôler. Combien de temps allait encore durer cette comédie ? Cette situation ridicule et hypocrite les faisait terriblement souffrir tous les deux.

Ils décidèrent de planter leurs tentes près d'une petite oasis tout à fait charmante et tranquille. L'endroit était romantique, il y avait de l'eau pour les bêtes et les palmiers les abriteraient du soleil brûlant.

Médina ne quittait pas son ami des yeux. Elle le trouvait beau, viril et brûlait de le lui dire. Elle n'en fit rien cependant.

Elle se faisait mal, imaginant les femmes du grand monde qui certainement attendaient

Virgil en Angleterre. Elle se disait qu'il avait dû avoir plus d'une aventure dans sa vie et elle en éprouvait une peine terrible. Elle n'était rien pour cet homme, pensait-elle, juste un pauvre guide du désert qui serait bien vite oublié !

La jeune fille qui se sentait faiblir voulut se ressaisir et, afin de ne pas se rendre ridicule aux yeux de cet homme, elle opta pour une grande réserve qui tourna bien vite au mutisme le plus complet.

De son côté, Virgil savait maintenant que ce guide était une jeune femme qui l'aimait et il attendait d'elle un signe, une parole, un faux pas qui les fasse tomber dans les bras l'un de l'autre.

Mais ce silence autour d'eux pesait lourd et peu à peu, chacun se replia sur lui-même.

Les jours passaient, leur conversation devenait banale, comme automatique, comme forcée.

Virgil finit par douter de l'amour de la jeune fille. Il se sentait seul, abandonné, trahi. Cela le torturait d'autant plus qu'il passait de longues heures auprès d'elle à observer ses mains, la finesse de ses doigts, le modelé de son visage. Malgré cet accoutrement d'homme, on devinait les courbes de son jeune corps et cela le rendait fou de désir.

Il se disait que cette jeune personne était

pure et innocente. Il savait qu'il serait le premier homme de sa vie.

Il devenait de plus en plus impatient. La tension entre eux montait et rien ne semblait plus cruel à Virgil que ce moment précis où Médina le quittait pour se retrouver seule sous sa tente.

C'est sur la route d'Aden, et après une traversée du désert des plus monotones, qu'il voulut tenter quelque chose.

— Et si nous faisions une petite halte avant Aden ?

Médina le regarda, surprise, et il poursuivit, romantique :

— Nous regarderions paraître les étoiles, les unes après les autres... nous avons tout le temps... La nuit s'annonce tellement douce !...

La jeune fille qui était enchantée par une telle proposition ne put que bafouiller :

— Bien sûr... c'est une bonne idée...

L'endroit qu'ils avaient choisi pour faire une halte était encore plus merveilleux que le précédent. Des centaines de palmiers s'étendaient à perte de vue dans la terre brune. Le site était paradisiaque.

Ils ne tardèrent pas à assister à un coucher de soleil exceptionnel. Les douces montagnes se détachaient à l'horizon sur un ciel cramoisi qui rendait le paysage tout à fait surnaturel.

— Que c'est beau ! s'exclama Médina, enfantine.

— Oui, n'est-ce pas... Il nous sera difficile d'oublier un moment comme celui-ci, dit Virgil, devenu soudain grave.

— Pourquoi... vouloir... oublier ? demanda Médina, toute retournée par de telles paroles.

— Je veux dire qu'il nous sera impossible d'oublier... ce paysage... ces quelques minutes de bonheur... votre présence à mes côtés...

Il avait parlé comme malgré lui, poussé par un désir violent d'être enfin lui-même et d'en finir avec cette cruelle comédie. Il s'était emballé, influencé par la magie du lieu et la beauté toujours plus troublante de la jeune fille dont le profil parfait se découpait sur le ciel devenu plus orangé.

Médina, pressentant que quelque chose d'irrémédiable allait arriver, se mit à trembler de tout son corps.

Le marquis qui s'était fait violence jusque-là avait fini par se rendre à l'évidence. Jamais il ne serait assez fort pour reprendre une vie quotidienne de célibataire en Angleterre, maintenant qu'il avait rencontré une femme aussi exceptionnelle que Médina. Elle était devenue à son insu son unique raison de vivre. Et cette impression qui l'envahissait lui tenaillait le corps.

Soudain, leurs regards se croisèrent. Alors Virgil dit à Médina sur le ton le plus solennel :

— J'ai quelque chose à vous dire... Il faut que je vous parle.

— Je vous écoute, répondit timidement la jeune fille.

— Voilà, cela va certainement beaucoup vous surprendre, mais je n'en peux plus, j'ai besoin de vous parler...

La jeune fille attendait, le cœur serré, prête à défaillir tant la tension allait grandissant, quand il poursuivit :

— Voilà... je voulais vous prévenir que la statue que nous avons trouvée n'est pas, comme nous l'avons cru, en bronze mais... en or !...

— En or ?

— En or, oui ! Il est même gravé sur le côté des signes de la famille royale. C'est, vous comprenez bien, une découverte exceptionnelle qui n'a pas de prix !

— Je comprends... et je suis très heureux pour vous. Ainsi je comprends également mieux votre hâte de rentrer dans votre pays et de faire, comme vous disiez... sensation !...

— Il ne s'agit pas de cela ! s'offusqua le marquis, mon unique souci maintenant est de parvenir à partager cette statue en deux...

— Partager la statue en deux ? s'indigna Médina. Mais que signifie tout cela ?

— Vous en méritez une moitié, non ? ne put s'empêcher de dire Virgil en riant. Ne l'ai-je pas trouvée grâce à vous ?

Médina qui ne comprenait plus rien se mit à rire à son tour.

— J'aurais également aimé remercier votre père... ajouta-t-il soudain plus sérieux.

— Mon... mon père ?

— Pourquoi m'avoir caché que vous étiez la fille de l'homme qui a écrit le livre le plus extraordinaire que je connaisse ?

— Que dites-vous ? Comment... comment savez-vous ?

— J'ai su que vous étiez une femme lorsque je vous ai prise dans mes bras après votre chute...

Médina, très troublée par ces révélations inattendues, protestait de toutes ses forces :

— Je suis votre guide ! Je suis là pour vous servir, je suis le guide le plus fiable de tout le désert, Salem Mahana vous l'a dit ! Que me racontez-vous là ?

— Oui, il me l'a dit en effet, et il avait raison. Vous m'avez admirablement guidé tout au long de ce périple qui restera pour moi inoubliable. Vous m'avez appris des choses que j'ignorais. Mais, vous m'avez également inspiré... des émotions nouvelles... Il me suffisait de vous observer... votre beauté...

La jeune femme restait muette, tout cela était trop beau.

— Dites-moi, qu'allons-nous faire de cette statue ? reprit le marquis comme pour ménager une pause.

— Il lui faudra une place de choix chez vous en Angleterre.

— Assurément, mais alors il vous faudra venir la voir souvent...

— Mais je n'ai aucune envie de retourner en Angleterre ! déclara la jeune fille soudain plus ferme.

— Et moi qui pensais que vous m'accompagneriez ! dit le marquis avec un sourire qui en disait long.

Tous deux se regardèrent alors longuement et ce fut comme si le temps s'arrêtait de couler.

Quelques secondes passèrent puis Virgil, troublé par l'émotion qui l'envahissait tout entier, ne put que murmurer :

— Ma chérie, accepteriez-vous d'être ma femme ?

Médina se sentit au bord de l'évanouissement. Mais bien vite deux bras réconfortants vinrent serrer sa taille menue.

Trop longtemps ses longs cheveux dorés étaient restés prisonniers de la capuche de laine épaisse, et c'est avec un plaisir sans mélange que Virgil les libéra. Il les disposa délicatement autour du joli visage de sa bien-aimée.

— Je vous aime, déclara-t-il, ému.

— Je vous aime aussi, dit à son tour la jeune Médina.

Ils échangèrent alors le plus doux des baisers. Et il leur sembla que le paradis s'ouvrait à eux. Ils avaient atteint La Mecque, perfection spirituelle de l'amour.

Ils s'aimaient et leurs corps enlacés se jurèrent de ne jamais se séparer.

Ils regagnèrent leur camp, près de la douce oasis. Et pour la toute première fois, ils se glissèrent dans le même lit.

— Il nous faut nous reposer, ma chérie. La route est encore longue pour atteindre Aden.

Médina le regardait, admirative, comme elle n'avait pas osé le faire jusque-là.

— Nous nous marierons au consulat d'Angleterre dès notre arrivée là-bas, dit Virgil.

Puis soudain amusé, il ajouta :

— Il ne faudra pas oublier de changer vos vêtements, ma chère !

— A moins que je ne reste dans cet accoutrement d'homme ! dit Médina complice... J'imagine la stupeur du consul !

Les deux jeunes gens riaient maintenant de tout leur cœur.

— Vous êtes adorable, ma chérie. Mais le marquis d'Anglestone aime votre féminité et ne veut plus que vous la cachiez sous d'affreuses parures !

A ces mots, le visage de la jeune fille sembla s'assombrir.

— Qu'avez-vous, ma chérie ? interrogea son amant, étonné.

— Je me demandais si ce n'était pas une erreur de votre part de vouloir m'épouser ?

— Une erreur ?

— Vous êtes marquis ! et en ce sens vous ne pouvez vous marier avec la première venue... Que diront vos amis ?

— Je me moque de ce que pourront bien dire les gens ! Vous êtes la femme la plus extraordinaire que je connaisse ! Ma petite Mecque à moi... Mon bonheur, ma vie...

Il était prêt, il le savait, à tourner le dos à ses amis, à toute cette société bien pensante, y compris à la reine, si d'aventure ceux-ci se permettaient un seul commentaire sur Médina.

Une personne pourtant l'effrayait par sa méchanceté : c'était Hester. Il se disait qu'il ferait tout pour que sa femme soit épargnée. Il désirait tant que Médina soit heureuse à Anglestone.

Déjà il l'imaginait évoluant dans sa vaste demeure, gracieuse lors des soirées dansantes qu'il donnerait en son honneur... Il l'imaginait aussi tellement amoureuse, dans leur chambre immense...

Sans trop se l'avouer, il appréhendait cependant quelque peu l'accueil que les siens feraient à sa bien-aimée. Mais son amour était plus fort que tout.

En attendant, ils s'endormirent comme deux tourtereaux, serrés l'un contre l'autre. Ils étaient à cet instant précis les êtres les plus heureux du monde.

Ils atteignirent Aden le jour suivant. Là, sans tarder, ils se rendirent sur l'*Épervier des mers* et se reposèrent de leur voyage. Médina, que toutes ces émotions des jours précédents avaient épuisée, éprouva le besoin de s'étendre dans une cabine. Pendant ce temps, Virgil prenait un bain chaud.

Il changea de tenue et mit un blazer bleu marine avec des boutons de cuivre qui, sur un pantalon de toile blanc, lui rendait son élégance britannique.

Il lui fallait à présent se rendre au consulat d'Angleterre afin de parler de son mariage au consul. Après les politesses d'usage, Virgil commença :

— Je suis venu car j'ai un petit service à vous demander.

— Vous savez, mon cher, que pour vous je ferai l'impossible.

A ce moment précis, un secrétaire interrompit les deux hommes, apportant un câble qui arrivait d'Angleterre. Il était destiné au marquis, qui en prit tout de suite connaissance.

Hester a épousé le comte de Darnshire. Rentrez vite. Vous me manquez. Votre Rupert.

Ce fut alors un grand soulagement. La tigresse avait enfin trouvé un mari. Ainsi, il n'y avait plus rien à craindre.

Le comte en question était un vieil homme déjà père de nombreux enfants. Sa fortune était importante. Virgil se dit que décidément Hester s'était bien débrouillée. Son propre fils était ainsi assuré de ne jamais manquer de rien, elle non plus d'ailleurs !

« Tout est bien qui finit bien ! » se dit-il ravi. Puis se tournant vers le consul :

— Voilà, je vais me marier avec une charmante personne, mais il me faudrait... ou plus exactement il lui faudrait des vêtements de circonstance et je ne sais vers quel tailleur de la ville me tourner ! Peut-être votre femme pourrait-elle...

— Je comprends, ne vous faites aucun souci... Ma femme se fera une joie d'envoyer à bord de votre yacht un tailleur pour votre future épouse... Au fait, comment se nomme l'heureuse élue ?

— Médina, Médina Tewin. Elle est la fille du célèbre professeur Edmund Tewin.

— Edmund Tewin ? Mon vieil ami ! J'ai été très chagriné par la nouvelle de sa mort... C'était un homme formidable !

— Hélas ! je ne connais que ses livres... Le dernier est le plus enrichissant que j'aie jamais lu.

— L'homme lui-même était l'être le plus enrichissant qui puisse être... Il va beaucoup nous manquer. Je ne pense pas que votre fiancée soit déjà au courant, son grand-père est mort lui aussi récemment. J'ai appris la nouvelle dans le *Morning Post*... Tenez, le voici, dit-il en présentant le journal au marquis qui lut l'article :

C'est avec beaucoup de peine que nous vous annonçons le décès de lord Tewincliffe, lord-lieutenant du Berkshire et membre distingué de la Cour de Sa Majesté la Reine. Agé de 80 ans, lord Tewincliffe est mort des suites d'une maladie et sa disparition affligera profondément tous ceux qui l'ont connu. Son héritier, l'aîné de ses enfants, est le colonel Alfred Tewin qui commande la brigade de la Garde. Son second fils, l'honorable Edmund Tewin, est l'écrivain et archéologue bien connu. Il se trouve actuellement en Arabie...

L'article était suivi d'un bref résumé de la carrière de lord Tewincliffe, ainsi que d'une liste impressionnante de toutes les sociétés qu'il avait présidées.

Ainsi, Virgil était tout à fait rassuré. Sa famille accepterait d'autant mieux Médina, qu'elle avait elle-même des ancêtres de renom.

Le sort de sa fiancée était entre ses mains et il se jura de faire de son mieux pour la rendre heureuse et la couvrir de bonheur.

Lorsqu'elle sortit de sa torpeur, Médina décida à son tour de prendre un bain bien chaud afin de se détendre. Bien sûr, elle ôta aussi son maquillage brunâtre qui lui avait donné son air arabe. Elle prit également soin de lisser sa longue chevelure qui brillait plus que jamais.

Un peu plus tard, elle dut essayer, docile, les robes qu'un tailleur était venu tout spécialement lui proposer dans sa cabine. Bon nombre d'entre elles nécessitaient des retouches au niveau de la taille. Bien vite, elle se décida pour une petite robe blanche toute simple.

Une fois qu'elle se retrouva seule, elle se mit à penser à son amoureux. Il était très généreux et avait offert à Nur, en guise de cadeau d'adieu, leurs deux dromadaires ainsi que l'encens et la myrrhe qu'ils transportaient. Le brave homme avait été fort touché par ce geste.

Aux chameliers, il avait donné une importante somme d'argent ainsi qu'une lettre de recommandation auprès d'éventuels employeurs.

Les adieux avaient été difficiles. Ces hommes les avaient accompagnés fidèlement lors de cette traversée du désert. Ils resteraient à jamais gravés dans la mémoire des deux amoureux.

Médina avait eu beaucoup de peine à se séparer de son brave Nur. Il avait été leur serviteur, à son père et à elle.

S'éloigner de la tombe de son père avait été également très éprouvant pour la jeune fille. Mais elle avait fini par se raisonner en se disant qu'il avait toujours désiré être enterré dans cette terre d'Arabie qu'il aimait tant.

En pensant à ce père chéri, elle le remercia encore une fois pour avoir écouté ses prières et sauvé le marquis du danger qui l'aurait menacé s'il s'était aventuré à La Mecque.

Celui-ci, comme s'il avait deviné le fond de ses pensées, demanda :

— Avez-vous cru une seconde que, sachant que vous étiez une femme, j'allais vous exposer au danger menaçant que représentait la violation de La Mecque ?

— Est-ce vraiment à partir du moment où vous avez su que je n'étais pas un vaillant guide, mais une faible femme, que vous avez renoncé à ce voyage ?

— Exactement !... ma faible petite femme ! répondit-il amusé.

— Pourquoi être venu à Aden ?

— Ici vous vous trouvez sur le territoire britannique[1]. Vous êtes donc hors de danger.

— Si vous saviez comme j'ai pu prier pour que vous abandonniez ce terrible projet, mon chéri !

— Vous êtes ma bonne étoile.

Ils échangèrent alors un baiser ardent qui les fit chavirer, le regard perdu vers les étoiles...

— Nos étoiles ! murmura doucement Médina au creux de l'oreille de son amant, elles nous ont protégés jusqu'ici...

— Prions pour qu'elles nous protègent encore longtemps ! souffla Virgil, éperdu d'amour.

---

1. Aden était protectorat britannique depuis 1839. *(N.d.T.)*

Le mariage n'eut lieu que le jour suivant. La mariée, toute vêtue de blanc, semblait plus jeune que jamais. On aurait dit un magnifique lys. Pour la première fois, le marquis fut comblé par sa grande féminité si délicate. Il savait qu'aucune femme jamais ne pourrait lui faire concurrence.

Elle allait faire bien des jalouses en Angleterre, cela il le réalisait maintenant qu'il la regardait. Elle était à la fois très fraîche et terriblement femme. Elle était complète, unique.

En l'observant, il s'aperçut qu'elle était encore très hâlée et cela l'amusa. Il lui trouva un petit air sauvageon plein de charme. Cependant, il avait hâte qu'elle retrouve sa peau de lait si typiquement britannique !

Le couple quitta le yacht pour monter à bord de la voiture où les attendaient le consul et son épouse. Ces derniers avaient été conviés à être les témoins de leur union.

La voiture les conduisit donc vers la chapelle du consulat où devait avoir lieu la cérémonie.

Médina, malgré son grand bonheur, eut une pensée émue pour ses parents. Puis elle remercia dans son for intérieur Dieu et Allah, tous deux égaux dans son cœur.

Après un simple lunch arrosé au champagne qui eut lieu au consulat, tout le monde se sépara. Les nouveaux mariés regagnèrent sans plus tarder l'*Épervier des mers* où ils se retrouvèrent avec plaisir. Le bateau prit aussitôt le large en direction de l'Angleterre, via la mer Rouge et le canal de Suez.

Médina, en entrant dans la cabine, eut l'heureuse surprise de trouver d'énormes bouquets de lys merveilleusement enrubannés. Elle se sentit profondément aimée et des larmes roulèrent sur ses joues.

Le marquis s'approcha de son épouse et, tout en l'enlaçant, il la couvrit de baisers.

A ce moment-là, il y eut dans la cabine comme un étrange parfum... d'encens. Les jeunes mariés se regardèrent dans les yeux et avec un petit sourire, Médina dit doucement :

— Mon amour, ce parfum est à jamais le nôtre et ne doit plus nous quitter...

— Ce parfum est celui des dieux... Vous êtes ma déesse et il vous sera toujours associé, mon amour...

Alors qu'il murmurait ces tendres paroles au creux de l'oreille de sa nouvelle épouse, il défaisait très délicatement sa robe blanche... Il dénuda son dos qu'il trouva lisse et parfaitement blanc... Puis comme il devenait plus entreprenant, la jeune femme, par pudeur, vint se blottir tout contre son torse...

Une fois dans leur grand lit d'amants, leurs corps enfin libres purent s'abandonner.

— Je vous aime, murmura-t-elle en se blottissant contre le corps du jeune homme.

— Je veux que vous soyez à moi, toute à

moi, ma chérie, répondit le marquis, noyé dans l'ivresse de l'amour.

Il s'aventurait sur le corps de Médina, baisant avec fièvre ses yeux, son nez, sa bouche, dévoilant ses jeunes seins, caressant doucement sa peau de satin.

La jeune fille sentait monter en elle des sensations inconnues.

— Nous ne faisons qu'un, ajouta Virgil. Nous avons atteint La Mecque, ma chérie. Nous avons atteint... l'impossible. Je crois vraiment que nous sommes proches des dieux...

Bientôt, les mots ne suffirent plus à exprimer l'intensité des sentiments qui avaient assailli les jeunes amants.

Alors, tous les deux s'abandonnèrent à leur propre extase, portés par un courant, un souffle qui n'était pas humain. Leur amour s'étendait à l'infini, les submergeait avec une puissance divine et délicieusement mystérieuse.

Romans sentimentaux

La littérature sentimentale a pour auteur vedette chez J'ai lu la célèbre romancière anglaise Barbara Cartland, qui a écrit plus de 500 romans. A ses côtés, Anne et Serge Golon avec la série des Angélique, Juliette Benzoni et des écrivains anglo-saxons qui savent évoquer toute la force des sentiments (Janet Dailey, Theresa Charles, Victoria Holt...).

BEARN Myriam et Gaston de	L'or de Brice Bartrès	2514/4*
BENZONI Juliette	Marianne, une étoile pour Napoléon	2743/7*
	Marianne et l'inconnu de Toscane	2744/5*
	Marianne, Jason des quatre mers	2745/5*
	Toi, Marianne	2746/5*
	Marianne, les lauriers en flammes	2747/8*
BRISKIN Jacqueline	Les vies mêlées	2714/6*
	Le cœur à nu	2813/6*
	Paloverde	2831/8*
BUSBEE Shirlee	La rose d'Espagne	2732/4*
	Le Lys et la Rose	2830/4*
	Le quiproquo de minuit	2930/5*
CARTLAND	*Voir encadré ci-contre*	
CASATI MODIGNANI Sveva	Désespérément, Julia	2871/4*
CHARLES Theresa	Le chirurgien de Saint-Chad	873/3*
	Inez, infirmière de Saint-Chad	874/3*
	Un amour à Saint-Chad	945/3*
	Crise à Saint-Chad	994/2*
	Lune de miel à Saint-Chad	1112/2*
	Les rebelles de Saint-Chad	1495/3*
	Pour un seul week-end	1080/3*
	Les mal-aimés de Fercombe	1146/3*
	Lake, qui es-tu ?	1168/4*
	Le château de la haine	1190/2*
COOKSON Catherine	L'orpheline	1886/5*
	La fille sans nom	1992/4*
	L'homme qui pleurait	2048/4*
	Le mariage de Tilly	2219/4*
	Le destin de Tilly Trotter	2273/3*
	Le long corridor	2334/3*
	La passion de Christine Winter	2403/3*
	L'éveil à l'amour	2587/4*
	15e Rue	2846/3*
	La maison des flammes	2997/5* (Avril 91)
DAILEY Janet	La saga des Calder :	
	-La dynastie Calder	1659/4*
	-Le ranch Calder	2029/4*
	-Prisonniers du bonheur	2101/4*
	-Le dernier des Calder	2161/4*
	Le cavalier de l'aurore	1701/4*
	La Texane	1777/4*
	Le mal-aimé	1900/4*
	Les ailes d'argent	2258/5*
	Pour l'honneur de Hannah Wade	2366/3*
	Le triomphe de l'amour	2430/5*
	Les grandes solitudes	2566/6*

CARTLAND Barbara (Sélection)

Les seigneurs de la côte 920/2*
Le secret de Sylvina 1032/2*
La fille de Séréna 1109/4*
Le valet de cœur 1166/3*
Seras-tu lady Gardénia ? 1177/3*
Printemps à Rome 1203/2*
L'épouse apprivoisée 1214/2*
Le cavalier masqué 1238/2*
Le baiser du diable 1250/3*
La prison d'amour 1296/2*
Le maître de Singapour 1309/2*
L'air de Copenhague 1335/3*
L'amour joue et gagne 1360/2*
Une couronne pour un roi 1372/3*
Vanessa retrouvée 1385/2*
Rencontre à Lahore 1401/2*
L'amour démasqué 1414/2*
Un baiser pour le roi 1426/2*
Lune de miel au Rajasthan 1440/2*
Fortuna et son démon 1454/2*
Un diadème pour Tara 1482/2*
Aventure au bord du Nil 1498/2*
L'étoile filante 1521/2*
La fugue de Célina 1537/2*
L'ingénue criminelle 1553/2*
La princesse orgueilleuse 1570/2*
Rhapsodie d'amour 1582/2*
Sous la lune de Ceylan 1594/2*
Duchesse d'un jour 1609/2*
L'enchanteresse 1627/2*
La tigresse et le roi 1642/2*
Un cri d'amour 1657/2*
Le Lys de Brighton 1672/2*
Le marquis et la gouvernante 1682/2*
Un duc à vendre 1683/2*
Piège pour un marquis 1699/2*
Le Talisman de jade 1713/2*
Le fantôme amoureux 1731/2*
Où vas-tu Molinda ? 1732/2*
Le prince russe 2589/2*
Une douce tentation 2627/2*
Le secret de la mosquée 2638/2*

Le piège de l'amour 2664/2*
Tempête amoureuse 2665/2*
Les yeux de l'amour 2688/2*
L'amour sans trêve 2689/2*
Lilas blanc 2701/2*
La malédiction de la sorcière 2702/2*
Les saphirs du Siam 2715/2*
Un mariage en Ecosse 2716/2*
Le jugement de l'amour 2733/2*
Mon cœur est en Ecosse 2734/2*
Les amants de Lisbonne 2756/2*
Passions victorieuses 2757/2*
Pour une princesse 2776/2*
Dangereuse passion 2777/2*
Un rêve espagnol 2795/2*
L'amour victorieux 2796/2*
Douce vengeance 2811/2*
Juste un rêve 2812/2*
L'amour victorieux 2796/2*
Amour, argent et fantaisie 2832/2*
L'explosion de l'amour 2833/2*
Le temple de l'amour 2847/2*
La princesse des Balkans 2856/2*
Douce enchanteresse 2857/2*
L'amour est un jeu 2872/2*
Le château des effrois 2873/2*
Un baiser de soie 2889/2*
Aime-moi pour toujours 2890/4*
La course à l'amour 2903/3*
Un mal caché 2904/2*
Danger sur le Nil 2916/3*
Une femme trop fière 2917/3*
Le duc infernal 2948/4*
Une folle lune de miel 2949/2* (Mai 91)
Le parfum des dieux 2960/2*
Un ange passe 2972/2* (Mars 91)
L'amour est invincible 2973/2* (Mars 91)
Le drame de Gilda 3001/2* (Avril 91)
La fuite en France 3002/2* (Avril 91)
Le voleur d'amour 3017/3* (Mai 91)
Musique miraculeuse 3033/2* (Juin 91)
Rêverie nocturne 3034/2* (Juin 91)

GOLON Anne et Serge

Angélique, marquise des Anges 2488/7*
Angélique, le chemin de Versailles 2489/7*
Angélique et le Roy 2490/7*
Indomptable Angélique 2491/7*
Angélique se révolte 2492/7*
Angélique et son amour 2493/7*
Angélique et le Nouveau Monde 2494/7*

La tentation d'Angélique 2495/7*
Angélique et la Démone 2496/7*
Le complot des ombres 2497/5*
Angélique à Québec 2498/5*
Angélique à Québec 2499/5*
Angélique La route de l'espoir 2500/7*
La victoire d'Angélique 2501/7*

DALLAYRAC Dominique	Et le bonheur, maman	1051/3★
DAVENPORT Marcia	Le fleuve qui tout emporta	2775/4★
DESMAREST Marie-Anne	Torrents	970/3★
EBERT Alan	Traditions	2947/8★
FORSYTHE HAILEY Elizabeth	Le mari de Joanna et la femme de David	2855/5★
FURSTENBERG et GARDNER	Miroir, miroir	3016/7★ (Mai 91)
GOLON	Voir page précédente	
HEIM Peter	La clinique de la Forêt Noire	2752/4★
HOLT Victoria	La maison aux mille lanternes	834/4★
	L'orgueil du paon	1063/4★
	La porte du rêve	899/4★
	Le galop du Diable	1113/4★
	La nuit de la 7e lune	1160/4★
	Le masque de l'enchanteresse	1643/4★
	La légende de la 7e vierge	1702/3★
	Sables mouvants	1764/3★
	Les sortilèges du tombeau égyptien	2778/3★
HULL E.M.	Le Cheik	1135/2★
	Le fils du Cheik	1216/2★
IBBOTSON Eva	Une comtesse à l'office	1931/4★
KEVERNE Gloria	Demeure mon âme à Suseshi	2546/6★
LAKER Rosalind	Reflets d'amour	2129/4★
	La femme de Brighton	2190/4★
	Le sentier d'émeraudes	2351/5★
	Splendeur dorée	2549/4★
	Les neiges de Norvège	2687/4★
	Le sceau d'argent	3032/5★ (Juin 91)
LINDSEY Johanna	Le vent sauvage	2241/3★
	Un si cher ennemi	2382/3★
	Samantha	2533/3★
	Esclave et châtelaine	2925/4★
	La révoltée du harem	2956/6★
	La fiancée captive	3035/4★ (Juin 91)
McBAIN Laurie	Les larmes d'or	1644/4★
	Lune trouble	1673/4★
	L'empreinte du désir	1716/4★
	Le Dragon des mers	2569/4★
	Les contrebandiers de l'ombre	2604/4★
	Splendeur et décadence	2663/5★
MICHAEL Judith	Prête-moi ta vie	1844/4★ & 1845/4★
MONSIGNY Jacqueline	L'amour dingue	1833/3★
	Le palais du désert	1885/2★
MOTLEY Annette	Le pavillon des parfums verts	2810/8★
MULLEN Dore	Le lys d'or de Shanghai	2525/3★
	La violence du destin	2650/4★
	Entre ciel et enfer	1557/4★
PARETTI Sandra	L'oiseau de paradis	2445/4★
	L'arbre du bonheur	2628/5★
RASKIN Barbara	Bouffées de jeunesse	2888/5★

ROGERS Rosemary	*Amour tendre, amour sauvage* 952/**4***
	Jeux d'amour 1371/**4***
	Le grand amour de Virginia 1457/**4***
	Au vent des passions 1668/**4***
	La femme impudique 2069/**4***
	Le métis 2392/**5***
	Esclave du désir 2463/**5*** Inédit
	Insolente passion 2557/**6***
	Le feu et la glace 2576/**6***
	Le désir et la haine 2577/**7***
STANFILL Francesca	*Une passion fatale* 2320/**4***
THOMAS Rosie	*Le passé en héritage* 2794/**5***
	La vie ne sera plus jamais la même 2918/**6***
WOODIWISS Kathleen E.	*Quand l'ouragan s'apaise* 772/**4***
	Le loup et la colombe 820/**4***
	Une rose en hiver 1816/**5***
	Shanna 1983/**5***
	Cendres dans le vent 2421/**7***

Aventures et Passions

Quand l'amour s'aventure très loin, il devient passion.

Quand les passions se libèrent, quand elles déchirent des êtres prêts à tout pour les vivre, au cœur d'aventures riches et multiples, elles sont dans la nouvelle collection Aventures et Passions.

BRANDEWYNE Rebecca	*La lande sauvage* 3018/**5*** (Mai 91)
BUSBEE Shirlee	*Le quiproquo de minuit* 2930/**5***
DEVERAUX Jude	*Les yeux de velours* 2927/**5***
	Un teint de velours 3003/**5*** (Avril 91)
GARWOOD Julie	*Sur ordre du roi* 3019/**5*** (Mai 91)
LINDSEY Johanna	*Esclave et châtelaine* 2925/**4***
	La révoltée du harem 2956/**6***
	La fiancée captive 3035/**4*** (Juin 91)
O'GREEN Jennifer	*Prisonnière du roi* 2981/**5*** (Avril 91)
REDD Joanne	*La fiancée du désert* 2926/**4***
	Le rêve chimère 2980/**5*** (Mars 91)
ROBARDS Karen	*Désirs fous* 2928/**5***
	La lune sombre 2979/**5*** (Mars 91)
RYAN Nan	*Esclave de soie* 2929/**5***
WEYRICH Becky Lee	*Le vent brûlant de Bombay* 3036/**5*** (Juin 91)
WOODIWISS Kathleen E.	*Cendres dans le vent* 2421/**7***

Littérature

Cette collection est d'abord marquée par sa diversité : classiques, grands romans contemporains ou même des livres d'auteurs réputés plus difficiles, comme Borges, Soupault. En fait, c'est tout le roman qui est proposé ici, Henri Troyat, Bernard Clavel, Guy des Cars, Frison-Roche, Djian mais aussi des écrivains étrangers tels que Colleen McCullough ou Konsalik.

Les classiques tels que Stendhal, Maupassant, Flaubert, Zola, Balzac, etc. sont publiés en texte intégral au prix le plus bas de toute l'édition. Chaque volume est complété par un cahier photos illustrant la biographie de l'auteur.

 2960

Impression Brodard et Taupin
à La Flèche (Sarthe) le 25 janvier 1991
6283D-5 Dépôt légal janvier 1991
ISBN 2-277-22960-1
Imprimé en France
Editions J'ai lu
27, rue Cassette, 75006 Paris
diffusion France et étranger : Flammarion